La rupture de contrat

Illustration de couverture : Édith Casadei ©

© 2006 Éditions S.O.I.S.
24580 PLAZAC

ISBN : 2-9519882-9-X
© Édition S.O.I.S.

Imprimé au Canada

Anne Givaudan

La rupture de contrat

ÉDITIONS S.O.I.S.

Éditions S.O.I.S. – 24580 PLAZAC
Tél. : 05 53 51 19 50 - Fax : 05 53 51 19 39
editions@sois.fr - www.sois.fr

Sommaire

« À TOUS CEUX QUI ONT CRU, CROIENT OU CROIRONT
QUE LEUR VIE N'A AUCUN SENS.
À TOUS CEUX QUI SAVENT QUE LA VIE EST SACRÉE. »

Avec tous mes remerciements
à Antoine Achram pour sa patience
et son amour inconditionnels
à Maurice Rouch pour la qualité de ses conseils
à tous ceux qui ont accompagné mes journées d'écriture
et aidé à l'élaboration de ce livre.

Il y a des jours où le soleil brille et où le ciel est serein. Ces jours-là nous avons la profonde conviction que nous sommes les maîtres de notre vie et de notre Destin. Ces jours-là tout va bien !

Et puis il y a les « heures sombres », celles où rien ne va plus, où nous sommes submergés par des vagues extérieures et intérieures de mal-être telles que nous sommes comme des noyés en sursis. Des heures où, quoi que nous fassions, nous avons l'intime conviction que nous ne dirigeons plus rien. Dans ces moments-là, nous sommes persuadés que la Vie nous joue des tours et que le scénario n'a pas été écrit pour nous... Alors, nous n'avons plus qu'une idée en tête : fuir ce malheur qui nous poursuit, fuir comme un fugitif qui veut s'échapper de sa condition de prisonnier, fuir de la terre, fuir de la Vie... mais, dans notre désespoir, nous avons perdu de vue que la Vie contient en elle l'Essence même de l'Existence et que Jamais elle ne finit.

Aujourd'hui et dans ce livre, ce n'est pas des jours heureux mais de ces « heures sombres » que je voudrais vous parler et surtout de tous ceux qui, après un passage sur terre qu'ils ont vécu comme un désespoir sans fin, ont voulu témoigner, de leur vie, de leur après-vie et parfois de leurs nouvelles vies.

Ces témoignages sont précieux car ils nous concernent tous, que nous soyons contre ou pour le suicide ou même sans avis sur le sujet, que nous soyons à tendance suicidaire ou simplement désireux de comprendre, nous sommes tous impliqués.

De près ou de loin, qui n'a connu des moments si désespérants que l'on songe à quitter la terre, qui n'a connu un proche qui a voulu se suicider ou l'a fait ?

Ma façon de rentrer en contact avec ces Êtres qui ont accepté de participer à ce livre est toujours la même :

Lorsque le sujet du livre m'est donné par l'Être de Lumière qui conseille mon « travail », il connaît déjà les personnes susceptibles de me rencontrer sur les plans de l'âme. C'est ainsi que tous ces êtres, que vous retrouverez au fil de la lecture, ont partagé leur expérience avec beaucoup d'Amour car il n'est pas facile de raconter les passages les plus douloureux de l'existence, de se les remémorer, sans avoir beaucoup d'amour à offrir.

John Smith

« QUAND L'ORDRE ÉTABLI VOUS COMMANDE DE FAIRE
CE QUE LA MORALE RÉPROUVE, IL FAUT SAVOIR DIRE NON. »
— Enseignement des étoiles.

Lorsque j'ai rencontré dans les mondes de l'âme ce grand gaillard blond aux yeux clairs, je savais déjà qu'il se présentait à moi sous l'apparence qui était la sienne dans l'incarnation dont il voulait me parler.

« Je m'appelle John Smith, un nom tellement banal dans mon pays que c'est un peu comme si j'étais né incognito. "Un monsieur tout le monde" qui ne fait que passer dans la vie et que personne ne remarque, tant il est anodin. »
Le décor est posé et je n'aurai pas souvent besoin d'intervenir car il sait parfaitement où il veut en venir.
« C'est bien moi, ou du moins c'était bien moi, ce personnage sans odeur et sans saveur, né "par hasard" de parents qui ne savaient vraiment pas quoi faire de moi.
J'ai grandi comme ça, parce qu'il faut bien grandir, sans savoir ce que je faisais là ni ce que la vie voulait de moi.

13

À quinze ans, ma mère n'était déjà presque plus présente. Pour moi, elle était devenue "folle" parce que mon père, un homme violent, buvait et la battait sans que l'on sache pourquoi. D'ailleurs leurs histoires ne m'intéressaient pas, j'avais assez à faire avec moi-même et personne n'avait assez de temps pour s'occuper de moi... sauf les policiers qui régulièrement m'attrapaient et me gardaient pour des vols sans importance.

Bref, le monde ne s'intéressait pas à moi et je le lui rendais bien.

Un jour ma mère ne revint plus et mon père ne m'en parla plus jamais.

L'ombre et le mystère qui planaient sur son absence me la rendaient plus accessible. Je pouvais enfin imaginer qu'elle n'était pas partie parce qu'elle ne nous aimait plus mais parce qu'elle souffrait trop et cette vision contribuait à me donner un peu de paix.

Avec mon père, nous vivions dans une espèce de grande caravane que je nettoyais une fois par mois, quand le sol jonché de cadavres de bouteilles et de boîtes de conserve vides nous rendait toute avance difficile. »

John s'arrête quelques instants et me regarde. Son regard d'un bleu transparent me va droit au cœur. Je sais qu'il ne raconte pas ces détails pour apitoyer qui que ce soit, mais pour planter le décor de ce qui va suivre et il a à cœur de voir si je le comprends.

Sur ces plans de l'âme un simple regard suffit pour que l'on sache ce que l'« autre » perçoit.

John, rassuré sur ce fait, poursuit :

« … et puis, un jour, j'ai cru que ma vie allait changer, j'ai vraiment cru ces deux hommes lorsque, sur le parking d'un grand magasin où je regardais quel coffre de voiture je pourrais bien forcer, ils sont venus vers moi. Ils étaient beaux, ces deux-là avec leur costume militaire de je ne sais trop quelle compagnie. Ils m'impressionnaient terriblement.

Ils ont parlé avec des mots que je pouvais comprendre et ce que j'en ai retenu, c'est qu'il suffisait de pas-grand-chose pour sortir de cette "chienne de vie" qui était la mienne.

J'ai compris que j'aurais comme une vraie famille et des parrains et marraines qui s'occuperaient de moi, que je gagnerais des sous, que je serais logé et nourri. ·

Ils m'ont donné une adresse où je pouvais les retrouver si je me décidais et bien sûr je n'ai pas hésité. Je n'avais vraiment rien à perdre.

J'ai dit "oui" et dès cet instant tout s'est passé très vite : On m'a fait signer plusieurs papiers puis, des instructeurs sont venus pour m'emmener avec eux. J'étais fier et j'aurais fait n'importe quoi pour ces hommes qui enfin s'intéressaient à moi. J'ai suivi des entraînements et dans les combats je n'étais pas le dernier. C'était ma revanche sur la vie et elle allait voir de quoi j'étais capable… elle et tous ces humains que je n'intéressais pas.

Je n'avais à l'époque aucune estime de moi et les seuls mots qui avaient bercé mon enfance étaient :

"Ôte-toi de là !", "t'est nul !", "pauvre gars !", "t'y arriveras jamais !".

Là, au moins, on m'estimait, on me disait que j'allais y arriver. Les instructeurs étaient rudes, mais j'avais confiance en eux et, naïvement, sous ma carapace de dur, je pensais qu'ils m'aimaient.

Je ne me rendais pas compte que j'étais comme une pâte à modeler que l'on pouvait former et déformer à loisir avec simplement quelques mots et quelques tapes amicales dans le dos.

Mon vide affectif était tel que j'absorbais comme une éponge tout ce qui m'était dit, sans le moindre discernement.

C'était le moment de la guerre au Vietnam et pour moi, le Vietnam ou ailleurs, c'était du pareil au même. Je ne savais qu'une chose, je voulais me battre et, en moi, je sentais cette envie de tenir une arme pour de vrai, d'être enfin le plus fort.

Je me souviens encore des paroles de nos instructeurs :

"Là où vous allez, ne laissez rien derrière vous. Vous ne connaissez pas les « Jaunes », ils sont comme de la vermine, si vous en laissez un, il se multipliera et c'est votre pays qui mourra.

Les « Jaunes » sont violents et sadiques et s'ils vous font prisonniers, ils ont des tortures terribles. N'ayez aucune pitié pour eux, ni pour les soldats ni pour la population. Ils n'ont pas d'âme et si vous ne les exterminez pas, ils vous extermineront non sans vous avoir fait souffrir."

C'était vraiment un discours sans aucune nuance mais compréhensible par nos cerveaux embrumés et souvent imprégnés d'alcool.

Les autres étaient comme moi, des pauvres types en mal de reconnaissance et d'amour et prêts à tuer pour avoir la sensation d'exister.

Alors, nous proposer de nous battre pour que tout un pays nous reconnaisse, on n'allait pas cracher dessus !

Ce discours-là je l'ai entendu bien des fois depuis ce jour. Là-bas, au Vietnam, il nous était répété tous les jours, plusieurs fois par jour et il s'accompagnait avant les combats de fortes doses d'alcool et de drogues diverses

16

qui nous donnaient la sensation d'être invincibles.

Je défie n'importe qui de résister à un tel lavage de cerveau.

Maintenant, suis-moi, dit-il en s'adressant à moi, je préfère que tu regardes ce qui s'est passé comme je l'ai vécu... »

J'acquiesce et, instantanément avec John, nous nous retrouvons dans une salle aux murs blancs opaques. Je connais ce genre de lieu qui, semblable à une salle de cinéma, va nous englober et nous restituer les moments les plus intenses de la vie de John.

Deux fauteuils confortables nous attendent et nous prenons place dans cet espace hors du temps, attentifs à ce que sa mémoire va bien vouloir me révéler.

Projetée dans le corps d'un soldat proche de John, je regarde.

J'ai chaud et d'un revers de la manche, je chasse ces insectes qui tournent autour de moi, attirés par mon odeur et la sueur qui dégouline depuis des heures dans mon dos et sur mon visage. Je capte les pensées sans suite de cette personne qui me prête involontairement son corps et ses yeux pour quelque temps.

Le paysage pourrait être beau si ce n'est les circonstances mais cette « putain » de rizière pleine de bestioles qui piquent et nous donnent la fièvre gâche tout. Vivement le retour au pays !

« John, t'en as pas marre de cette foutue guerre dans ce pays qu'on ne connaît pas ?

— La ferme, fiche-moi la paix et marche, c'est pas le moment d'être distrait par des pensées. On va arriver au village qu'on nous a indiqué.

— J'ai tellement tué que j'ai plus de haine dans le cœur,

j'ai plus le goût.

— Arrête et oublie pas ça, c'est toi ou eux, y a pas le choix. »

Trois ou quatre hommes nous accompagnent et nous entendons bientôt les cris des enfants qui, guerre ou pas, s'amusent dans les rizières d'un vert tendre, si tendre que l'on pourrait croire que la paix existe au moins là en cet instant.

De petites maisons en bois apparaissent au loin et le bruit de nos bottes ou de nos pataugas dans l'eau des rizières a dû être capté par quelques oreilles expertes car un silence pesant, opaque, règne soudain. Plus rien, même les oiseaux se sont arrêtés de chanter.

Nous avançons en silence, de ce silence lourd comme la mort. John a un appareil pour communiquer avec ses chefs, quand ça veut bien marcher, il me le passe car il veut avoir les mains libres ou du moins occupées uniquement par ses armes, un revolver et un coutelas comme nous tous. On s'arrête pour prendre une rasade d'alcool…

Je me sens mieux, moins de questions dans ma tête et plus de force dans mon corps. Le liquide brûlant fait son effet et gomme les scrupules, s'il en reste encore.

On a l'habitude de rentrer comme ça dans les villages, on tue, on viole, on brûle et puis c'est fini, on n'en reparle plus jamais. Ça, c'est les consignes et on les respecte sinon c'est l'exclusion, et c'est comme la mort pour nous.

Au début on nous avait dit que les villageois étaient tous armés et puis on a bien vu que ce n'était pas vrai mais on a continué de la même façon.

J'arrive au village, si petit, c'est dérisoire, mais je n'ai pas le temps de me poser de questions, un cri monte, brutal et soudain :

18

« Retourne-toi et frappe ! » hurle John.

Derrière moi, un jeune adolescent asiatique, un outil semblable à une serpe, à la main, s'apprête à me frapper. Je frappe, sans regarder, sans réfléchir, c'est lui ou moi.

« Vite tué celui-là, au moins, il ne souffrira plus... » est la seule pensée que l'homme que j'habite momentanément semble capable d'émettre.

Je sais, à travers lui, que les autres habitants du village se cachent, qu'ils ont peur et que lui ferait presque durer le plaisir, tel un acteur qui soigne son entrée en scène... non pas qu'il soit plus mauvais que la plupart des humains mais parce que juste dans ces moments-là, il se sent tellement puissant et maître de la vie et de la mort, qu'une sorte d'ivresse l'envahit et le porte.

Ces soldats ivres sont, pour un instant à l'égal des dieux, ou du moins le croient-ils devant ces êtres démunis et terrorisés dont la vie ne dépend plus que d'eux.

Je continue à voir et à ressentir, par personne interposée, la suite de ce désastreux moment de vie.

Nous poussons les portes avec le pied et nous regardons.

Là, dans un coin, comme des animaux apeurés, des femmes et des enfants sont blottis les uns contre les autres.

« Y a du butin dans cette maison ! » clame l'un de nous. On sait ce que ça veut dire. Ceux qui sont là vont servir à assouvir nos instincts les plus animaux puis on les éliminera, c'est tout !

Mais ce matin-là, John n'en peut plus, sans savoir exactement pourquoi, il en a assez lui aussi. Et c'est mécaniquement qu'il viole encore une fois et tue... peut-être pour ne pas faiblir devant les autres.

« Foutue guerre, donne-moi la gourde, j'ai soif. »

L'alcool mélangé à quelque drogue fait son effet d'anesthésiant et avec John et les autres, je laisse le village et les morts derrière nous.

Nous ne parlons pas, même nos plaisanteries habituelles, sales et grivoises ne viennent pas. Rien, le silence le plus absolu règne en nous et autour de nous et personne n'ose le rompre. Personne ? Non, pas tout à fait, la boîte qui nous relie à notre monde civilisé fait entendre le grincement caractéristique d'une communication en route.

Notre petite équipe s'arrête, on s'installe pour écouter et ce qu'on entend nous laisse blêmes :

« À toutes les équipes, l'ordre est donné de rentrer au camp. Nous rentrons au pays ! la guerre est finie. Cessez tout combat. »

Nous sommes anéantis, la voix joyeuse dans l'appareil ajoute encore à notre souffrance. Pas besoin de se parler pour savoir ce que nous ressentons tous :

« Ce dernier village, c'était inutile ! »

Le mot est lancé comme une interrogation par un grand gaillard blond qui s'écroule en pleurant. Le sentiment de la tuerie inutile nous habite tous et John ne sait comment récupérer ça car il est atteint du même mal que nous tous.

« Bravo les mecs, on a gagné la guerre, vous pouvez être fiers de vous, on est des héros. »

John en disant ces mots essaie de se convaincre lui aussi que tout est OK mais nous savons que personne n'y croit.

Moi, j'ai envie de vomir… ce qui me fait immédiatement sortir du corps que j'habitais momentanément.

Je suis à nouveau dans le fauteuil de la salle des Lectures de Vie et John me regarde avec intensité. Il baisse les yeux, comme pour mieux penser, et sa voix résonne en moi semblable à un écho lointain qui couvre le bruit des avions de guerre qui rentrent au pays.

« Au retour, j'ai vraiment cru que cette fois j'allais pouvoir vivre une vie à peu près ordinaire sans savoir encore que le pire était à venir. Ce pire, je l'ai vécu et je ne le souhaite à personne, quoi qu'il ait pu faire…

Dans l'avion du retour, j'essayais de faire des projets. C'était la première fois de ma vie que je pouvais penser à un avenir. J'avais de la chance, moi par rapport à tous ceux qui revenaient invalides. Moi, en apparence, j'étais sain et sauf.

Je me disais qu'avec l'argent qu'on allait me donner, j'achèterais un terrain dans un coin perdu pour construire un abri, quelque chose à moi, enfin. C'étaient des projets simples, je n'étais pas capable d'envisager plus que cela.

Les premiers jours se sont bien passés dans l'euphorie du retour. Personne ne m'attendait, mais les gens étaient contents et nous étions, pour certains d'entre eux, comme des héros et puis un soir tout a basculé à nouveau. »

Je suis une nouvelle fois entourée par une scène de la vie de John.

Le décor est planté dans une rue anodine de grande ville, comme beaucoup de villes américaines. C'est le soir, l'air est doux et deux types discutent sur le pas d'une porte d'un bloc de maisons sans caractéristiques, semblable à toutes les autres entrées des maisons de la rue.

« Allez John, on va boire un coup à la victoire ! »

Je reconnais l'un de ceux qui accompagnaient John lors de l'épisode sordide du village.

21

« OK ! de toute façon je n'ai rien d'autre à faire, on y va. »

Les deux hommes, en jeans et chemise à carreaux, semblent deux caricatures de film de western. Ils sont minces et blonds, avec leurs larges épaules, leurs airs de baroudeurs et leurs regards d'un bleu transparent, ils ne manquent pas d'allure.

Dans une ruelle étroite, une pancarte mal peinte indique un bar à filles. C'est vers cet endroit que se dirigent les deux hommes. L'accueil est chaleureux et ils semblent bien connus des habitués des lieux.

Après quelques verres, l'ambiance et le ton montent. Les rires fusent et les filles se font plus pressantes. John entoure l'une d'elles, une grande rousse légèrement vêtue, de l'un de ses bras sur lequel j'aperçois un tatouage en forme d'aigle.

Je n'entends pas les conversations, c'est d'ailleurs sans importance car très vite la femme rousse entraîne John vers l'escalier, invitation non dissimulée vers les chambres.

John monte sans peine, ce ne sont pas quelques verres d'alcool qui lui font peur et tandis que la fille commence à se déshabiller, il reste quelques secondes sur le pas de la porte.

« Bizarre ! ce soir, je manque de souffle… » constate-t-il.

Il s'assoit sur le lit tandis que sa compagne d'un soir s'allonge dans une pause suggestive et langoureuse.

C'est alors que dans le cerveau embrumé de John un claquement se fait entendre, il regarde la femme qui change de visage, il regarde encore… Sans trop y croire.

« Nom d'une pipe ! je deviens fou… »

Il voit la femme, mais ce n'est plus elle, la grande

22

rousse qui est là allongée... À sa place, un visage de femme asiatique prend place. La femme asiatique sourit puis le visage peu à peu se déforme, grimace et semble hurler sous l'emprise d'une peur intense.

John n'en peut plus, il entend les cris, il voit cette femme qui souffre, il part, il doit fuir, il ne comprend pas ce qui lui arrive.

« Qu'est-ce qui s'est passé ? T'as vu ta tête ? on croirait que t'as vu un fantôme... »

Son ami est là, dehors avec lui et essaie de comprendre pourquoi John s'est enfui en courant, l'air paniqué.

« Je sais pas, je dois être malade. La malaria, sans doute... »

John n'a pas de fièvre et la vie reprend son cours pour quelques jours comme si rien ne s'était passé et puis, à nouveau et avec plus d'intensité, les visions de cauchemar reprennent... De plus en plus violentes, n'importe où et sans même avoir bu.

Un matin, John regarde des enfants jouer dans un parc. Cette vision paisible de la Vie qui continue l'apaise un peu et il sourit. Il en oublie quelques instants sa propre histoire, lorsqu'il voit arriver vers lui un bambin blond et rose qui lui tend les bras...

Heureux devant cet enfant confiant, il sent en lui une sensation de chaud et de doux qui l'habite.

« Et si c'était ça que certains appellent tendresse ! » Mais ce dialogue intérieur s'interrompt soudain car, en quelques secondes, les contours du visage de la petite tête blonde, maintenant toute proche de lui, deviennent plus flous et peu à peu se dessine en superposition le visage au teint mat, aux cheveux noirs et raides et aux yeux en amande d'un petit asiatique.

Le jeune garçon aux yeux bridés est là devant John qui semble paralysé par cette vision. Il regarde intensément l'homme.

« Pourquoi tu m'as tué ? Méchant ! Méchant ! »

John entend ces mots qui résonnent dans son cerveau malade tandis que la terreur envahit le visage de l'enfant qui grimace et hurle. Le cri est bestial, terrible, difficile à soutenir, le regard sans colère de l'enfant est infiniment douloureux, insoutenable lui aussi. John s'enfuit hébété, l'air hagard.

Sa vie devient vite un enfer, il ne dort plus, ne mange plus, ne sort plus. Chaque personne qu'il rencontre se transforme en visage torturé, grimaçant de souffrance, extériorisation tangible de tous ces morts qu'il croyait pouvoir oublier.

Psychiatres, médecins de l'armée, rien n'y fait. La douleur et l'enfer l'habitent comme jamais il ne l'aurait cru. Aucun médicament ne peut le faire dormir et si, par hasard, il sombre dans le sommeil, les réveils sont tellement douloureux que lui, le grand gaillard au physique d'athlète, s'écroule en pleurant.

Ce ne sont pas les regrets ou les remords qui le font pleurer mais l'épuisement. Un épuisement tel qu'il ne peut plus penser et que la seule idée qui l'habite encore, c'est de fuir cette vie qui ne veut plus de lui.

John est mort, il s'est tué d'une balle de revolver dans la tête, après une autre vision d'enfer qu'il ne pouvait plus supporter. « La goutte qui fait déborder le vase » diront certains… Pas de discours à son enterrement, seuls trois amis de son contingent sont là pour l'accompagner ce dernier bout de chemin.

La vision cesse et je regarde John qui tente de m'expliquer la suite :

« Je pensais que mettre fin à ma vie était la seule solution, sans savoir combien j'étais loin de la réalité.

Mort, je l'étais, mais pour moi, rien ne changeait, juste une pause dans un Rien que j'imaginais tel puis, à nouveau, je recréais mon enfer. J'étais cerné de morts, de souffrances et de visages qui me scrutaient sans rien me dire jusqu'au moment où épuisé, vidé de tout, je tombai à genoux en suppliant que quelqu'un me dise que faire pour réparer tout ce gâchis.

Aucune réponse ne me fut donnée, alors devant ce vide immense, pour la première fois, j'ai prié sans savoir que je priais.

J'ai demandé de toutes mes forces qu'un peu de paix arrive enfin. Je ne la voulais même plus pour moi, cette paix, mais pour eux, pour tous ces visages qui me poursuivaient de leur souffrance.

C'est alors qu'au fond de moi, quelque chose d'inconnu, comme un peu de chaleur, commença à grandir et à croître.

C'est alors que, dans le vide le plus absolu qui m'habitait, j'ai ressenti tout ce que ces visages venaient me dire. Une communication subtile s'établissait enfin et je n'avais pas envie de la fuir.

J'acceptai ce dialogue sans mots, fait de sensations et j'éprouvai en moi, non pas dans le corps que je n'avais plus mais dans mon âme, toute la souffrance du monde, toute la souffrance des guerres, toutes les monstruosités sans raison que l'on fait vivre ou que l'on vit.

Je souffrais, mais cette fois, enfin, je comprenais cette

souffrance, non pas avec ma tête mais avec mon cœur, le grand absent de mon histoire terrestre.

Personne ne me punissait, j'étais seul avec moi-même et vide de toute colère.

Et puis un moment est arrivé, je ne saurais dire au bout de combien de temps, où j'ai cessé de souffrir. Un nouvel espace s'est ouvert, un vide qui avait un sens et sur lequel je n'arrivais toujours pas à mettre de mots. C'est à ce moment-là que j'ai rencontré deux êtres, un homme et une femme que je ne connaissais pas mais qui semblaient bien me connaître.

J'étais depuis ma mort comme dans une salle d'attente et c'était là qu'ils vinrent me trouver. Ils m'ont demandé si je voulais comprendre et savoir ce que je pouvais faire pour me sentir mieux.

Pensez donc, moi qui avais tant prié pour que cela arrive, je ne pouvais pas dire non !

Alors, durant un temps que je ne peux compter, j'ai été "soigné". Des êtres sont venus, porteurs de guérison et, peu à peu, je sentais comme si l'on réparait un filet troué, comme si les vides se comblaient de chaleur douce. Je passais dans des bains de lumière et les sons que j'entendais m'apaisaient et enlevaient peu à peu le brouillard qui si souvent m'entourait.

Et puis, un jour, plus limpide que les autres, j'eus la sensation très nette de sortir d'un tunnel. C'est ce jour-là précisément que les deux êtres sont revenus et leurs paroles restent encore en moi gravées en lettres d'or :

"John, il est temps pour toi de retourner sur terre et de reprendre la route là où tu l'as laissée. On ne peut rompre un contrat avec soi-même. Un jour ou l'autre, il faut achever ce vers quoi l'on s'est promis d'aller."

Une peur profonde et glaciale m'envahissait au fur et à mesure que je les écoutais. Je ne voulais pas reprendre le fil de mon histoire, il n'en était pas question.

En moi c'était la panique, je n'arrivais pas à rassembler mes idées et je sentais à nouveau le vide qui m'habitait.

Avec une infinie patience, avec beaucoup d'amour, l'homme et la femme m'ont expliqué :

"Le suicide ne fait pas partie du parcours de qui que ce soit. Ce que tu as vécu juste après ta mort, tu aurais pu le vivre en restant sur terre et réparer ton histoire, vivre deux vies en une.

Tu aurais alors compris que nul n'est obligé d'obéir à l'ordre établi, à des supérieurs et qu'il est toujours en notre pouvoir de dire non.

C'est ce que tu vas apprendre dans cette nouvelle vie.

Quoi qu'il arrive, tu écouteras ton cœur et tu sauveras autant de vies que tu en as détruites."

Les deux êtres m'ont alors montré les possibilités qui m'attendaient et les événements que j'aurais pu attirer à moi pour guérir mon histoire. Ils étaient là et je ne les avais pas vus...

Quelque chose en moi devenait plus clair, plus "logique", mais j'étais encore tiraillé entre le fait de dire oui et la peur de retourner sur cette Terre de souffrance.

Dans ma tête, il a fallu un peu de temps pour que j'entrevoie cette nouvelle version de la vie, de ma vie, sans trop d'appréhension. Et puis j'avais des questions : "Et si je ne réussissais pas, et si la souffrance recommençait et si... Et si... C'était trop tôt."

Enfin, malgré mes doutes, mes hésitations, mes peurs, j'ai dit oui, un petit oui, un peu timide.

Tout s'est alors passé très vite, j'ai vu des scènes de

mes futurs parents mais surtout des scènes de mon futur travail. J'allais être pompier et quoi qu'il arrive, je sauverais des vies même au prix de la mienne. »

Ce que je vois de cette vie-là est très rapide :

Un petit garçon joue avec une voiture de pompiers sous l'œil amusé de ses parents. Il parle peu mais le peu de mots que j'entends sont les suivants :
« Je veux être un pompier… »
Le petit garçon a des nuits agitées par des scènes de guerre et de mort qui le font se réveiller en hurlant tandis que ses parents essaient vainement de le rassurer… Le temps passe vite.

Quelques scènes défilent rapidement : des bâtiments en flammes, des noyés secourus à temps, des voitures prenant feu et des chatons perchés sur des arbres, ne sachant comment en descendre. John devenu Steve est partout dès qu'il faut aider, il est sportif et rien ne lui fait peur malgré son physique un peu lourd et sa tête ronde d'adolescent bien nourri.

Il est aimé et reconnu pour sa bravoure et son grand cœur. Les coups, les plus durs, les sauvetages les plus improbables et les plus dangereux, sont pour lui. Il sauve des vies et donne la nette sensation que c'est son seul objectif. Certains pourraient y voir « le syndrome du sauveteur », peu importe, il sent comme une force en lui qui l'aide à accomplir ce qu'il considère comme le but de sa vie.

Il est encore tout jeune et nous sommes le 11 septembre, ce jour qui marquera toute l'Amérique et le monde entier par répercussion.
Steve est pompier à New York.

« Il y a eu un attentat! les tours du World Trade Center sont en feu. » Les cris fusent partout dans les rues et sur toutes les radios et les chaînes multiples de télévision.

Les pompiers sont sur place tandis que l'affolement se répand, tel un raz-de-marée dans la population incrédule.

Des cris, du bruit, des pleurs, on se croirait en guerre et dans la tête de Steve qui n'a jamais connu la guerre, c'est comme si des images connues, de mort et de peur, de bombardements et de tueries, défilaient à grande vitesse et complètement en désordre.

Il respire, essaie d'effacer ces images qui pour lui ne correspondent à rien de ce qui se passe dans les tours. Il doit être efficace et penser très vite comment y parvenir. Dans sa tête, le seul objectif est de sauver le maximum de personnes.

Son chef lui a pourtant intimé l'ordre d'attendre… mais une force le pousse à agir vite. Il grimpe et se trouve face à la silhouette menue d'une femme qui, prise de panique, essaie de passer par la fenêtre du quatrième étage. Elle est là, de dos, prête à sauter dans un vide mortel qui l'attire et il faut toute la persuasion du jeune homme pour qu'elle se calme enfin et écoute. La silhouette se retourne et Steve n'a que le temps de percevoir le sourire qui se dessine sur le visage asiatique de la femme tandis que, irrésistible-ment attiré, il plonge dans son regard, absorbé par une spi-rale lumineuse qui l'aspire dans une ronde qui paraît ne jamais s'arrêter.

Il entend avec une netteté qui ne laisse place à aucune interrogation :

« Ce qui était à accomplir est accompli. À présent, sois en paix ! »

La fumée rend tout plus difficile, on étouffe et un

brouillard opaque envahit tout l'étage. Un bruit sourd et puis plus rien.

Steve s'élève au-dessus des tours qui s'écroulent. Il regarde sans encore comprendre ce qu'il fait là. Il veut redescendre et s'aperçoit avec stupéfaction que son « corps » traverse les décombres. Il lui faudra un peu de temps et de l'aide pour comprendre qu'il est mort.

Alors, il se souvient… De la guerre, de sa décision, de ce retour un peu forcé et il sourit.

Il suit ses funérailles et cette fois, il reçoit de là où il est les remerciements de tous ceux qu'il a aidés. En fait ce ne sont pas des remerciements dont il a besoin mais de cette vague de chaleur douce et aimante qui monte vers lui et l'aide à poursuivre sa route vers d'autres plans. Ce n'est pas de reconnaissance dont il a besoin mais d'Amour, d'affection et c'est cela même qu'il ressent quand les obsèques, concernant les pompiers courageux, morts lors de cet incendie occupent l'écran de toutes les chaînes de télévision.

Peut-être que John-Steve reviendra encore une fois sur terre juste pour apprendre à se positionner en face d'une autorité qui prétend lui faire faire ce que son âme réprouve, peut-être n'a-t-il plus besoin de cela… Son âme seule saura le lui dire en temps voulu.

Pour le moment, c'est le jeune Steve que je retrouve face à moi et qui rit de mon étonnement comme un enfant qui s'amuse de la surprise qu'il provoque dans le regard des « autres ».

Sa voix pourtant ne me surprend pas car elle garde la même fermeté douce tandis que son regard cherche le mien.

« J'aimerais dire à tous ceux qui te liront, qu'il ne sert à rien d'échapper à la terre et à ses enseignements. Moi le rebelle, je sais maintenant qu'un contrat signé avec soi-même se vit jusqu'au bout et qu'il y a toujours des solutions. Derrière le plus grand désespoir, il y a toujours une solution qui ne peut apparaître que lorsque le vide est total. Lorsque nous abandonnons nos masques, quels qu'ils soient, tout devient alors possible. »

En bas, dans une maison semblable à toutes celles de la rue, une famille est en deuil. Les parents et les frères de Steve vivent chacun à leur façon cette mort brutale. La photo de Steve est là, trônant sur la cheminée de la salle commune et dans la chambre des parents.

La mère de Steve, la tête dans les mains, n'a plus de larmes à pleurer.

« Eux aussi sont venus apprendre à travers ma mort un enseignement essentiel. Ma mort va être le choc néces-saire pour que l'un et l'autre de mes parents, à leur manière, ouvrent une porte vers les mondes subtils. Ils vont chercher à comprendre et à adoucir leur peine et à travers cette recherche, ils accompliront un chemin que, sans cela, ils n'auraient jamais entrepris dans cette vie. C'était une entente entre eux et moi… Il est tellement dif-ficile de laisser partir ceux que l'on aime… » ajoute Steve d'une voix paisible.

ENSEIGNEMENTS

« Dis aux humains de la Terre que, contrairement à bon nombre d'idées qui circulent sur votre planète, la personne qui se suicide ne va pas en enfer, mais demandez-vous : qu'est ce que l'enfer, si ce n'est les souffrances que s'inflige celui qui se sent coupable ?

Que cet enfer se matérialise durant la vie sur terre par des maladies, un intense mal de vivre ou comme pour John par d'insoutenables visions, qu'il se concrétise, après la mort du corps, par un univers de peur et de douleur, qu'importe. Les moyens que l'humain met en place pour se faire souffrir sont innombrables ! Et le mental inférieur de l'homme est intarissable à ce sujet !

Celui qui souffre dans son corps ou dans son âme, que ce soit lors de sa vie terrestre ou après la mort du corps, est toujours le créateur de ses souffrances.

Ces paroles peuvent paraître dures et totalement injustes aux yeux de ceux qui ont pris le rôle de victime, cependant, il existe de grandes lois cosmiques et ce sont à elles que je fais allusion ici même.

L'une d'entre elles réside dans le fait que nous sommes responsables de ce à quoi nous donnons existence, dans cette vie ou dans une autre.

Nous sommes les créateurs, les parents de nos actes, de nos pensées, de nos paroles et nous en assumons l'entière responsabilité ainsi que les conséquences qui les accompagnent.

Cette loi n'est pas simplement valable pour la planète terre… elle régit le cosmos entier et ses habitants. Elle n'est ni une récompense ni une punition de quoi que ce soit, "Elle Est" sans notion de juste ou d'injuste, sans jugement de bien ou de mal.

Actuellement, votre planète est dans une phase d'accélération et c'est cet élément appartenant à l'évolution terrestre qui fait que John a vécu en quelques années l'aller et le retour de ce qu'il a engendré. "Un retour de karma immédiat" comme nous vous entendons dire parfois entre vous.

Nul ne peut échapper à son histoire et à ses créations. Le corps physique n'a pas grand-chose à voir dans l'enfer que l'humain se crée. Il est le temple par lequel l'Entité peut dissoudre les conflits et les nœuds qu'elle a engendrés et que son âme veut intensément résoudre. La mort du corps ne permet aucun arrêt à ce processus et croire que le "tuer" mettra un point final aux problèmes de la vie est une illusion supplémentaire.

Après son suicide, John se rendit compte qu'il ne parvenait pas à échapper au cercle infernal dans lequel il se perdait. Face à ses peurs et à lui-même, à bout de résistance, il s'est laissé traverser par l'énergie d'Amour. C'est précisément au moment où il s'est retrouvé dans l'impasse totale, face à une paroi lisse, devant rien à quoi se raccrocher que ses résistances mentales ont lâché pour faire place à ce qui souvent sommeille au fond de chacun : l'Amour.

Mais combien d'épreuves l'humain doit-il rencontrer pour arriver au bout de lui-même, pour se libérer de ses protections illusoires ?

Cet Amour ou plutôt cette absence de souffrance, il ne la voulait plus pour lui mais pour ceux dont les cris le tourmentaient encore. C'est ce lâcher-prise total qui a ouvert une porte dans son univers de noirceur, pour lui permettre de respirer un air nouveau.

Ce qu'il a fait, il aurait pu le faire dans son corps physique et apprendre durant sa vie sur terre ce que voulait dire le mot "aimer".

Il arrive souvent qu'un être fasse ce que, sur terre, vous appelez "deux vies en une…"

Dis-le bien au peuple de la terre :

Le suicide n'est jamais un choix de Vie.

Avant toute incarnation, l'entité aidée par ses guides a déjà pris connaissance des grandes lignes de sa vie future. Lorsque John a compris qu'il avait rompu un pacte avec lui-même, il a accepté de revenir sur terre pour accomplir un temps égal au nombre d'années qu'il aurait dû vivre s'il ne s'était pas donné la mort.

En accord avec les grandes Lois de la Vie qui sont bien loin de celles créées par les "Hommes", il a passé les quelques années terrestres qui manquaient à son parcours, en sauvant autant de vies humaines qu'il en avait ôtées.

La vie est souvent moins compliquée que ce que vous imaginez. Combien de fois entendons-nous les vôtres se plaindre en ces termes : "Que cette vie est triste, compliquée, invivable…" et tant d'autres mots semblables qui vous font croire à l'illusion du triste et du laid, du pesant

34

et de l'obstacle infranchissable.

Si vous saviez combien d'êtres sans corps envient l'expérience qui est la vôtre dans les mondes de matière, vous cesseriez d'envisager, à l'instant même, votre vie comme un poids. Vous honoreriez ce cadeau divin et vous feriez face à votre histoire personnelle comme le créateur des événements que vous avez attirés à vous pour accéder au cœur de votre être. »

Le Grand Être sans visage s'arrête et son silence devient Parole. Un silence porteur de paix, d'espoir et d'Amour inconditionnel habite l'espace dans lequel nous sommes tous deux. Il me lave des scories que j'ai pu capter dans ce voyage en « enfer », dans ce monde illusoire de guerre et de morts sans fin, il me régénère et m'apaise.

Élisabeth

« *C'EST LA QUALITÉ DU REGARD QUI DÉCIDE*
À ELLE SEULE DE L'IMPORTANCE DE L'OBSTACLE »

— Enseignement des étoiles.

« Viens, suis-moi… » Une voix juvénile résonne en moi, claire et joyeuse. Je viens tout juste de sortir de ce corps physique qui maintenant repose sous moi. Je le regarde quelques instants, juste le temps de le remercier de s'être mis à mon service pour l'aventure terrestre que j'ai choisi, juste un instant car la voix se fait plus insistante, plus attirante. Semblable à un aimant puissant, elle appelle et je sais déjà que c'est elle qui va me conduire vers la destination convenue par mon âme.

Cette voix, cette onde sonore me rappelle quelque chose… Quelqu'un… Quoi ou qui au juste ! Je ne le sais pas et j'ai beau plonger dans ma mémoire, aucun visage, aucun nom ne semble vouloir en surgir.

Je suis le courant qui m'entraîne dans un espace-temps sans émotion lorsque, tout à coup, j'ai la curieuse sensation qu'une pointe de nostalgie s'éveille au creux de mon âme. La réponse est là, juste au-dessous de moi.

Comme paraissant secouer un voile de poussière qui la recouvre, la cour de mon ancien collège apparaît, de plus en plus nette, sous mes yeux. Les bâtiments de cours à l'architecture carrée de briques rouges sont là, tels quels, comme si le temps n'avait pas eu d'emprise sur eux. Le gymnase en préfabriqué lui non plus n'a pas bougé. La porte de l'entrée, anodine dans l'alignement des autres maisons de la rue dresse fièrement sa grille en fer forgé peinte en noir. Dans ce décor sans vie, je perçois des rires et des voix…

« Va derrière le gymnase… » La voix me guide et je perçois en elle une pointe d'amusement.

Derrière le gymnase, le terrain de sport laisse apparaître deux équipes, filles et garçons mêlés, en pleine partie de volley. C'est de là que viennent les voix et les rires.

Je ne comprends pas encore ce que je fais là, moi qui n'ai aucune attirance pour le passé quand il ne s'impose pas pour une raison au-delà de ma propre volonté.

Cette vieille cour d'école m'indispose et je n'ai pas envie de traîner plus longtemps sur les lieux, au milieu de ces décombres de « souvenirs oubliés ».

« Regarde mieux. » La voix qui m'accompagne depuis le début de ce voyage, pénètre une nouvelle fois mon âme. Enjouée, elle dirige mon regard vers la partie droite du terrain de volley. Mon regard tel le zoom d'un téléobjectif fait la mise au point plus précisément sur trois élèves proches du filet.

Une fille d'environ seize ans, cheveux courts et noirs, à l'allure d'un jeune garçon sportif, s'adresse à une fille en short bleu et chemisier blanc.

« Allez, vas-y frappe ! » Cette voix tonique et joyeuse…

C'est elle ! Tout à coup tout devient clair, je me souviens…

Élisabeth, c'est toi ! mais pourquoi ?

Mon interrogation est sous-tendue par de nombreuses questions qui me laissent désemparée.

Élisabeth est maintenant près de moi, tandis qu'en bas la partie de volley est sur le point de s'achever.

Telle qu'à l'époque de nos 16 ans, elle est là, souriante avec son côté « garçon manqué » : les cheveux coupés court, la poitrine à peine visible, vêtue d'un pantalon bleu et d'un pull ample accentuant encore son allure sportive.

« Élisabeth, aide-moi à comprendre, que fais-tu là, tu ne t'es pas suicidée si mes souvenirs sont bons ? »

La jeune fille sourit de ce sourire plein de bonté qui l'a toujours caractérisée et ma mémoire refait peu à peu surface.

Je me souviens d'Élisabeth. Ce n'était pas précisément mon amie, mais plutôt une compagne de classe que tout le monde aimait et appréciait.

Elle avait le don de remonter le moral de chacun, de nous faire rire dans les moments les plus difficiles et sa présence avait quelque chose d'intangible que nous ne pouvions décrire si ce n'est par le manque provoqué par ses absences.

Des absences, elle en avait, car Élisabeth souffrait de diabète et parfois, une crise plus forte l'obligeait à manquer la classe.

Son père médecin connaissait le mien et bien que, nous les filles, nous ayons peu d'occasions de nous rencontrer en dehors des jours de classe, nous avions de l'estime et de l'affection l'une pour l'autre.

Nous habitions toutes deux des villages éloignés et le lycée en ville n'était atteignable que par l'autobus scolaire. Cet éloignement ne facilitait en rien les rencontres extrascolaires, temps que nous consacrions le plus souvent à la préparation de nos examens en prévision du baccalauréat.

Je sens pourtant que je ne suis pas encore au cœur de la situation qu'Élisabeth veut me montrer. Quelque chose d'autre plus éprouvant m'attend, un événement que j'ai voulu sans aucun doute effacer de ma mémoire.

La scène change et cette fois, j'ai à peine le temps de voir ma classe de terminale juste au-dessous de moi lorsqu'en un instant je me retrouve dans le corps que j'avais à cette époque. Je suis l'élève de terminale que j'étais alors…

Peu attentive au cours qui se déroule, je laisse errer mon regard au-delà des fenêtres de la classe, je rêve et les arbres en fleurs me donnent une intense envie de liberté… C'est une belle journée de printemps, encore fraîche mais prometteuse de beaux jours à venir.

Le cours visiblement m'ennuie. C'est le cours d'allemand et le professeur, un gros homme blond ne réussit pas à capter notre attention.

Le brouhaha règne dans la classe et chacun parle sans se préoccuper de ce qui se passe sur l'estrade.

Machinalement, je cherche du regard Élisabeth, sa place est vide, elle est absente ce jour-là comme cela lui arrive parfois à cause de sa maladie. Pourtant, à l'intérieur de moi, je ressens un malaise qui ne cesse de grandir sans que je puisse mettre de mot dessus.

C'est à ce moment précis que le proviseur du lycée fait son entrée.

Son visage sombre ne laissait rien présager de bon et nous pensions, non sans raison, que l'agitation bruyante de notre classe l'avait attiré jusqu'à nous.

40

« Je viens vous annoncer une nouvelle qui en attristera plus d'un, Élisabeth nous a quittés, elle est morte dans la nuit. »

Un silence glacial recouvrit brutalement la salle de classe, la mort était loin de nos préoccupations et même si nous en dissertions dans les cours de philosophie, elle ne nous concernait pas directement. Élisabeth venait à elle seule de changer ces données et nous nous retrouvions tous avec un poids dont nous nous serions bien passés. Le proviseur demanda au professeur de nous libérer plus tôt qu'à l'ordinaire mais ce fut sans enthousiasme que nous sortîmes cette fois du cours.

Le collège étant catholique une messe fut dite pour son âme. Je me souviens seulement que nous n'avons pas pleuré, mais plutôt enfoui au fond de nous, une mort dont nous ne savions que faire. La peur ou tout au moins le peu de proximité que nous avions avec « la Mort » nous procurait un sentiment d'impuissance que nous refusions obstinément de regarder en face.

Nous apprîmes seulement qu'Élisabeth était morte d'une crise plus forte qu'à l'habitude et la vie reprit son cours... Nous voulions tous croire que nous étions des immortels et que la mort pouvait bien attendre.

« Élisabeth, dis-moi, tu ne t'es pas suicidée ? »

La jeune fille est près de moi dans un espace blanc, immaculé et paisible.

« Non, pas cette fois mais, regarde attentivement ce qui va t'être montré et tu vas comprendre le pourquoi de ma présence à tes côtés et par là même, le pourquoi de ma mort. »

La pièce dans laquelle Élisabeth et moi nous trouvons disparaît peu à peu pour faire place à un autre temps, une autre époque. Je suis spectatrice d'une scène qui m'entoure de toutes parts et je me rends compte que je regarde maintenant à travers les yeux de l'un des acteurs de l'époque. Nous sommes dans les années 1900 à « la Belle Époque ».

Une jolie jeune femme se promène au bras d'un homme élégant dans ce que je crois être un jardin de notre capitale. Elle porte une ombrelle blanche en dentelle et une robe longue que l'on peut aisément qualifier de « haute couture » tant elle semble faite pour mettre en valeur sa silhouette.

L'homme à travers lequel j'assiste à la scène, enlace tendrement la jeune femme dont le visage aux traits fins et expressifs trahit par instants la peine et la douleur.

« Ma chérie cesse de t'inquiéter, nous avons fait tous les examens que nous pouvions faire, ce mal de ventre depuis la naissance de notre deuxième enfant a certainement une raison mais pourquoi imaginer le pire ? les examens arrivent dans quelques jours… Profite de cette journée de printemps. Le temps est si doux et puis regarde ces arbres qui sont parés de leurs plus beaux atours, juste pour toi. »

La jeune femme ne répond pas. Elle regarde par terre et semble perdue dans des pensées bien éloignées de celles de son compagnon.

Devant eux une superbe allée d'arbres aux fleurs roses leur offre un ombrage léger mais, cette fois, aucun des deux ne semble l'apercevoir. Ils empruntent machinalement l'allée somptueuse et se dirigent vers une petite porte en fer forgé qu'ils franchissent rapidement pour se retrouver dans une rue parisienne du Marais.

« Cette femme, c'est moi, susurre à mon oreille Élisabeth, ce que tu vois c'est mon histoire précédente et ce pourquoi, je suis ici aujourd'hui. »

Les scènes se succèdent avec rapidité et, cette fois, je les vois en spectatrice.

Dans un immeuble cossu, le couple est là assis devant le bureau d'un homme que je devine rapidement être un médecin. Les livres sur la table, les instruments ainsi que la table d'examen dans la pièce ne me laissent aucun doute.

« Je suis votre ami et je ne sais comment vous annoncer que toi, Sophie, tu es atteinte d'une maladie grave. Les examens sont formels, mais nous ferons tout notre possible pour que tu sortes de ce mauvais pas. »

Je ne sais si le médecin ami emploie le « nous » parce que cela lui permet de prendre de la distance ou s'il inclut dans ce « nous » l'aide du compagnon de la jeune femme.

Le couple reste sans voix tandis que me parviennent par vagues les sentiments de doute, de colère et d'impuissance des acteurs de cette scène.

Sophie, le visage fin et délicat encadré de longues boucles blondes et la silhouette menue ressemble à une miniature peinte par le plus talentueux des artistes.

Elle avait épousé par amour Paul et elle avait deux enfants de lui : une petite fille de trois ans et un jeune garçon de dix ans.

Cela faisait douze années que le couple vivait un amour sans nuage. Paul avec ses cheveux un peu raides et la mèche blonde qui retombait régulièrement sur son front haut avait une allure de gentleman londonien. Il en avait de toute façon l'élégance et l'humour et Sophie était toujours très amoureuse de lui. La seule ombre dans ce tableau où ni l'amour ni l'argent ne faisaient défaut était, depuis trois ans, cette sensation désagréable et parfois douloureuse qui prenait de plus en plus d'espace dans le ventre de Sophie et l'empêchait de jouir de sa vie de femme comblée.

Aujourd'hui elle avait tout juste trente-cinq ans et son idéal de mère et d'épouse venait à l'instant même de se désagréger dans le bureau du médecin de famille. Elle avait la sensation qu'un trou noir et sans fond venait de s'ouvrir sous ses pieds et le mot « mort » tournoyait en fond d'écran dans son cerveau qu'elle sentait inopérant.

Au-delà des propos que le médecin voulait rassurants, elle percevait, presque palpable, la mort encapuchonnée, la faux à la main qui arrivait vers elle à pas de géant.

Ce fut avec une difficulté sans nom que Sophie, soutenue par son mari put regagner leur appartement cossu qui ne se trouvait pourtant qu'à quelques pas du bureau médical.

Dans sa tête, quelque chose qu'elle ne comprenait pas avait changé, une modification qui ne laissait plus d'espace pour que sa nature habituellement sereine puisse s'exprimer.

Un écran s'interposait entre elle et la vie qui autour d'elle continuait.

Dans l'intérieur richement meublé de leur appartement parisien, je suis là, invisible spectatrice des pensées denses et sombres qui envahissent les lieux.

Deux grands fauteuils recouverts d'un tissu épais de couleur pourpre abritent les corps de Sophie et de Paul mais leurs âmes ne sont guère présentes, elles voyagent au gré de leurs pensées sans parvenir à s'en détacher.

Paul tient un journal qu'il ne lit pas tandis que Sophie fait mine de dormir.

« Je ne sais plus que faire pour aider Sophie. Je l'aime et je me sens tellement impuissant. Cette colère qui m'habite, me rend agressif et me donne envie d'être loin, d'oublier ce que je suis incapable de gérer. »

Sur ces pensées que j'entends avec netteté, Paul plie son journal et sort non sans avoir eu l'envie de claquer la porte, ce que sa « bonne éducation » lui interdit pourtant.

« Je sais que Paul est malheureux et j'aimerais lui montrer un autre visage de moi, plus combatif, plus optimiste mais je suis tellement lasse et tellement obsédée par la moindre tension de mon corps que rien d'autre ne m'occupe… Pas même les enfants. »

Tandis que je perçois les pensées de Sophie, une voix joyeuse se fait entendre derrière la porte du salon.

« Maman, maman, j'ai bien réussi mes maths, regarde ce que le professeur a mis sur ma feuille, le jeune garçon portrait fidèle de sa mère, tend à Sophie un cahier. Il attend avec impatience les félicitations de sa mère, mais celles-ci se font attendre et déçu il regarde la jeune femme qui grimace sous une douleur qui semble la traverser.

« Maman, tu as encore mal, tu veux que j'appelle Nannie ? »

La voix de l'enfant laisse transparaître son inquiétude, il oublie ses notes et son bonheur de l'instant pour courir chercher « Nannie », la vieille gouvernante qui arrive, quelques instants plus tard, avec un plateau et un bol de bouillon chaud.

« Vous devriez vous allonger un peu Madame, votre petite Lili vient de rentrer de sa promenade avec Madame Seral et va demander à vous voir.

— Dis-lui que je suis fatiguée, je la verrai demain… »

Sont les seuls mots prononcés par Sophie qui docile se

dirige vers sa chambre pour s'allonger un peu.

Toujours à l'écoute des pensées de la jeune femme, je la suis dans sa chambre et capte, impuissante spectatrice, des pensées embrouillées sur lesquelles j'aimerais tellement souffler un peu d'espoir.

« Ces enfants m'encombrent, je me demande si je les aime. D'ailleurs, suis-je encore capable d'aimer qui que ce soit. C'est terrible et effrayant !

J'ai peur, horriblement peur de mourir et je ne veux pas que la mort décide pour moi le jour où elle me prendra. »

Élisabeth est à nouveau à mes côtés dans un lieu immaculé où plus rien n'existe que nous deux.

« À partir de ce moment, me dit-elle, je me suis enfermée dans une bulle de souffrance dont je ne percevais pas l'issue.

Plus personne n'avait d'importance à mes yeux en dehors de ma souffrance et de ma lente avancée vers ma mort. Rien ni personne ne pouvait réussir à m'extraire des pensées destructrices qui m'habitaient.

J'essayais bien, par moments d'ôter ce voile sombre qui m'entourait. C'était hélas sans aucun succès. Tous mes efforts me semblaient vains, ce qui renforçait plus encore en moi ce sentiment d'incapacité et d'inutilité.

Peu à peu, je finis par me croire méchante et sans cœur.

— Et Dieu ou la religion dans tout ça ? Est-ce que cela pouvait t'aider un peu ? dis-je sans conviction.

— J'ai cru un instant que mes croyances allaient pouvoir me sortir de cet enfer mais je me suis vite rendu compte que ma foi n'était que superficielle et que je ne pouvais me raccrocher à elle.

Qu'est-ce que je savais après tout de ce qui m'attendait ? Et puis ce Dieu qui m'envoyait cette maladie "mortelle" comment le considérer comme bon et miséricordieux ? Qu'est-ce que j'avais fait pour mériter ça ?

Les questions tournaient dans ma tête sans trouver de réponse et chaque jour je m'enfonçais plus avant dans un désespoir sans issue.

Personne ne parlait de maladie mortelle ou de mort autour de moi, mais je voyais, j'entendais ces mots partout.

Si mon mari parlait avec des amis et, que de ma chambre où je me réfugiais de plus en plus souvent, je ne parvenais pas à comprendre la conversation, j'étais alors persuadée qu'ils parlaient de moi, de ma maladie et de ma mort.

Lorsque les enfants me regardaient avec tendresse, je croyais lire dans leur regard un adieu à leur mère mourante.

Mon obsession usait tous ceux qui m'entouraient et je me culpabilisais plus encore d'une situation que je ne parvenais plus à changer. Je me sentais comme un poids pesant sur tous.

Essayant de m'intéresser à ma famille, je me rendais compte que ce qu'ils vivaient ne me touchait plus. Je n'étais qu'une morte en sursis.

Je percevais chacune de mes douleurs, même la plus insignifiante, comme un pas vers la mort et rien ne pouvait me distraire de cela. Ni les amis, ni le temps, ni les distractions ni les marques d'amour, d'amitié ou d'affection ne pouvaient traverser cette coquille sombre dans laquelle je m'étais involontairement confectionné un abri infranchissable.

La peur m'isolait du monde et me mettait dans "mon monde", un monde de souffrance et d'incommunicabilité, d'où toute forme de joie était absente.

C'est ainsi qu'un jour dans "mon monde", je conçus un projet fou : celui de défier la mort.

C'était mon ennemie et je ne voulais pas lui laisser l'honneur de la victoire. Puisqu'elle venait vers moi inéluctablement, je la devancerai, et elle ne m'aurait pas.

Ce projet devenait chaque jour plus précis et je pensais ainsi écarter la peur qui m'habitait tout entière sans voir une seconde que c'est elle qui dirigeait chacun de mes gestes, chacune de mes pensées.

Je développais ainsi les plans les plus machiavéliques avec tous les détails de ma mort avancée et dirigée. C'était, à ce moment-là, la seule occupation qui me paraissait digne d'intérêt et qui me faisait paraître plus vivante aux yeux du monde extérieur.

Je ne me plaignais plus, j'étais apparemment plus agréable avec chacun tandis qu'à l'intérieur de moi, le monde qui n'était pas le mien pouvait bien s'écrouler... Je m'en désintéressais. Mon seul espoir résidait maintenant dans le seul geste qui me semblait possible et me libérerait définitivement de cette mort ennemie qui avançait vers moi sans que je connaisse le jour précis où elle me frapperait de son glaive. Je préférais accomplir ce geste moi-même et sans doute cela me donnait-il un semblant de contrôle et de puissance sur un monstre sans visage, qui m'obsédait sans cesse, au point d'en perdre le sommeil et la faim.

Un jour enfin, mon plan fut au point. J'avais prévu les moindres détails et toutes les éventualités ou presque. Et lorsque ce matin-là, après avoir embrassé plus tendrement qu'à l'habitude, les enfants partant à l'école avec leur Nannie, je m'allongeai dans la baignoire pleine d'eau avec la lame coupante du rasoir, j'étais persuadée que la peur allait enfin me quitter. Je savourai ce dernier pied de nez que je faisais à cette vie qui ne voulait plus de moi… et tandis que la vie peu à peu me quittait j'eus un dernier sursaut, comme si le voile opaque qui m'entourait jusque-là se déchirait enfin.

Les visages de Paul et des enfants m'apparurent soudain avec netteté et l'Amour que je croyais ne plus ressentir m'habita avec une intensité que je ne connaissais plus depuis longtemps. En quelques instants qui me parurent durer indéfiniment, ma vie se déroula, sans jugement, sans émotion, autre que l'Amour et tout à coup je sus…

J'avais fait fausse route, je n'avais pas fini, mon histoire était incomplète, je ne pouvais pas partir maintenant, c'était trop tôt, la vie, ma vie était importante et, comme toute vie, je ne pouvais en interrompre le cours. Le sens du sacré que je n'avais jamais expérimenté jusqu'alors me remplissait à présent comme s'il avait toujours fait partie de moi.

Je ne voulais plus partir mais c'était trop tard et mon corps inanimé sous moi baignant dans une eau rougie par le sang me donnait la nausée. J'avais la sensation d'avoir commis un crime.

C'était sans savoir que le pire restait à venir.

Regarde maintenant ces quelques morceaux du film de ma vie et tu comprendras vite… »

En quelques instants, je retrouve la salle de bain mais cette fois, les enfants et Paul ainsi que Nannie sont là autour du corps sans vie de Sophie. Je comprends vite que c'est son jeune fils qui vient de découvrir le corps de sa mère et qui maintenant regarde la scène, paralysé et sans voix devant le spectacle.

Ce n'est plus la silhouette d'Élisabeth, mais celle de Sophie qui est là et regarde à côté de moi la scène qui se déroule sous ses yeux. Elle me voit et me parle comme à une vieille connaissance.

« Tout a commencé là où je croyais que tout serait enfin terminé.

La mort n'était ni devant ni derrière moi, il n'y avait rien et je pus percevoir, en l'espace d'un instant, mes peurs comme des bulles de savon inconsistantes qui éclataient l'une après l'autre.

Je m'étais construit un monde que je croyais diriger mais qui en fait n'existait pas. Je venais de m'apercevoir que je m'étais trompée moi-même en croyant tromper l'ennemi. Il n'y avait pas d'ennemi !

Lorsque mon fils est entré et m'a découverte, j'ai cru que j'allais mourir une seconde fois. J'ai ressenti son désarroi immense et sa stupeur, comme si c'était à moi que cela arrivait. Je me suis mise alors à souffrir des douleurs de chaque personne que j'aimais et qui découvrait mon corps sans vie.

Les sentiments d'impuissance, de colère, d'abandon, les douleurs de la trahison, tout ce qui habitait chacun me percutait de plein fouet et se transformait à l'intérieur de moi en une souffrance intolérable.

J'étais de plus en plus mal et cet enfer-là était mille fois plus douloureux que celui que j'avais cru connaître sur terre.

Ma mort par suicide allait entraîner des conséquences, pour ceux que j'aimais, auxquelles mon cerveau malade n'avait pas pensé un seul instant.

La religion ne voulait pas de moi et personne n'osait

parler des circonstances de ma mort.

La honte recouvrait ma famille. Je vis alors combien ce poids du « non-dit », du péché, dont j'étais à présent coupable, pesait sur les épaules de chacun de mes enfants et sur leur père.

Je me rendis compte de la culpabilité que ce dernier éprouvait sans que je puisse adoucir sa peine. Cela aussi me faisait mal.

J'aurais voulu lui dire que personne n'était responsable de ma mort. Que moi seule m'étais enfermée dans ce cocon noir et poisseux, mais je ne pouvais rien dire, rien faire, personne ne m'entendait, je ne pouvais que ressentir.

Paul pleurait. Il pleurait cet amour qui s'en allait trop tôt, il pleurait son impuissance, il s'en voulait tellement de son incapacité à exprimer son désarroi et ses pensées tournaient en rond, rebelles à tout raisonnement.

"J'aurais dû voir qu'elle allait se suicider... Si j'avais été plus présent, ça ne serait pas arrivé... Et les enfants... Je ne sais même pas comment les consoler... Je suis un incapable". »

Je regarde la scène qui se déroule au-dessous de moi :

Sophie se penche vers son compagnon :

« Paul je t'aime et tu as fait tout ce qui était possible humainement, rien ne pouvait ces derniers temps me distraire de la décision que j'avais prise.

Tu n'es pour rien dans mon acte. J'étais tellement centrée sur moi, rien que sur moi.

Je viens juste de me rendre compte combien je vous aime. »

L'homme n'entend pas et la jeune femme, tel un fantôme, essaie de lui caresser la joue puis se recule et se recroqueville dans sa douleur et devant tant de gâchis.

Je l'entends juste murmurer pour elle-même :
« Si j'avais su... » D'une voix à peine audible qui se termine en un sanglot.

Nous sommes maintenant avec Sophie au-dessus de la fosse commune où sans célébration, son corps va être déposé tel un fardeau trop lourd.

Élisabeth a maintenant remplacé Sophie, mais cela est sans importance.

« Regarde les personnes qui sont présentes : il y a ceux que tu connais maintenant et puis, le médecin ami de la famille et les parents de Sophie qui, au-delà de leurs croyances, ont fait un acte d'amour en venant à ces obsèques sans gloire.

J'ai conçu beaucoup de colère alors contre la religion catholique et son intransigeance, mais regarde le médecin, comme il semble touché par cette mort.

Lui aussi s'est senti, comme Paul, coupable de ne rien avoir pu faire et il a demandé une autopsie comme cela se pratique parfois... »

L'autopsie a révélé qu'il n'y avait pas de maladie grave ou mortelle. « Une inversion dans les fiches a dû se glisser entre deux analyses », ont répondu les deux dirigeants du laboratoire lorsque le médecin de famille leur a fait part des conséquences dramatiques de cette erreur, en ajoutant un inutile :

« Nous sommes sincèrement désolés, Docteur... »

À leurs mines déconfites, il n'en doutait pas. Il avait pensé un instant à faire un procès et à avertir les journalistes et puis, le découragement avait pris le dessus... Il devait se rendre à l'évidence, rien ne ramènerait Sophie à la vie.

Élisabeth, à nouveau à mes côtés, toujours souriante, me regarde et commente :

« Rapidement après ma mort, je me suis retrouvée dans un endroit semblable à la salle d'attente d'un hôpital, très propre et très blanc.

Je ne sais pas combien de temps s'est passé là, mais j'ai pu voir, à certains moments, des scènes de la terre et les répercussions de mon acte sur tous ceux que j'aimais.

J'étais atterrée car jamais je n'aurais cru causer tant de douleur ni en ressentir autant. Il n'y avait plus de différence entre moi et les autres, entre leurs blessures et les miennes et tout ce qui, sur terre semblait ne pas me concerner, devenait tout à coup une partie intégrante de moi.

Paul, qui m'en voulait encore de l'avoir quitté si brutalement, avait fini par se remarier avec une femme qui aimait nos enfants mais notre fils Paul Junior était très perturbé sur le plan psychique. Sa sœur maintenant devenue une belle jeune fille s'accrochait désespérément à tout homme qu'elle rencontrait, prête à toutes les turpitudes pour ne pas être abandonnée, ce qui malgré tout lui arrivait régulièrement.

Paul Junior était pensionnaire dans une école de hautes études et si tout allait bien dans le domaine de son université, il en était autrement pour tout ce qui concernait le plan affectif.

Il naviguait entre le vice et la vertu, aimant et torturant, tour à tour sans jamais trouver la paix. Ses amours tumultueuses défrayaient la chronique, tandis que chaque jour il se détruisait un peu plus par tous les moyens qu'il trouvait à sa portée ou qu'il inventait.

Le médecin ami venait de mourir et je savais que sa vie avait été réduite par la culpabilité et le chagrin qu'il vivait depuis mon suicide.

De là où je me trouvais, je ne pouvais qu'assister impuissante aux égarements ou aux difficultés concernant la vie de chacun.

Ma souffrance était insondable et je n'en voyais pas le bout lorsqu'un jour, l'amour que j'essayais en vain de donner réussit enfin à toucher l'un des miens.

Ce jour-là, j'essayai d'envoyer un peu de courage et de tendresse à ma fille, battue par un compagnon de passage qui l'avait abandonnée pour une autre. Elle pleurait et songeait à mettre fin à ses jours, elle m'appelait et j'entendais sa voix qui suppliait :

"Maman, pourquoi m'as-tu abandonnée, j'aurais tellement besoin de toi, de tes conseils, de tes bras. Je veux te rejoindre…"

Je ne savais que faire tellement j'étais perdue devant cet appel qui résonnait en moi. J'aurais tout donné pour qu'elle puisse me voir, m'entendre ne serait-ce qu'un instant. Comment lui dire que la mort n'était pas la solution, que la mort n'existait pas et que la solution était toujours là où nous nous trouvions.

C'est alors que le "miracle" se produisit. Dans ma salle d'attente, je vis se diriger vers moi une silhouette de lumière dont les contours devinrent de plus en plus précis à mesure qu'elle approchait.

Un être, homme ou femme, je ne saurais le dire tant ses traits pouvaient appartenir à l'un ou l'autre sexe était enfin là, dans ce monde de silence, où je me sentais si seule.

"Ta prière est entendue, dit-il d'un ton chaleureux. Tu

54

vas pouvoir parler à ton enfant durant quelques minutes de temps terrestre. Ce sera ta seule possibilité avant ton incarnation qui approche… Un peu plus tard nous t'expliquerons ce qui t'attend et ce pour quoi tu vas retourner sur terre."

Je n'écoutais plus, seule une chose comptait maintenant, j'allais pouvoir aider ma fille, elle allait m'entendre et je pourrais la serrer peut-être dans mes bras.

Sur un geste de l'Être, je me suis sentie basculer et aussitôt j'ai vu ma fille dans sa petite chambre d'hôtel et son désarroi grandissant. »

« Lili regarde, je suis là. »

Lili regarde, sans y croire, tandis que Sophie s'approche d'elle, vêtue d'une robe que sa fille connaissait bien lorsqu'elle était enfant.

« Maman, c'est toi ? la voix de Lili est incrédule.

— Chérie, je voulais te dire que je t'aime et que jamais je n'ai voulu t'abandonner. Tu as une grande valeur pour moi. Le suicide est terrible, la vie, ta vie comme celle de tout être vivant est sacrée. Je ne me pardonne pas de t'avoir abandonnée. Le suicide est une trahison, une rupture de contrat envers soi-même. Moi aussi, j'ai cru que cet acte mettrait fin à mes souffrances et j'ai vu combien, loin de disparaître avec mon corps, elles étaient encore plus intenses après. Elles ne sont pas physiques mais tellement plus terribles à supporter. Elles ont pour nom : culpabilité, impuissance et se doublent du sentiment d'échec face à un obstacle qui paraît dérisoire vu de plus loin, de plus haut.

Lorsque tu te sens dans l'impasse, retire-toi quelques instants au fond de toi, si tu le peux, et regarde la situation que tu vis, comme une spectatrice de la scène qui se joue.

J'ai compris que nous étions des acteurs des scènes de notre vie mais que nous étions aussi bien plus que le rôle que nous nous donnons dans une scène ou dans une autre. »

Sophie s'interrompt un instant pour prendre le temps de choisir ses mots, tandis que sa fille n'ose bouger de peur d'interrompre cette vision.

« Je t'aime, ma Lili, ma petite, ma belle.

Je ne pourrais me montrer à toi que cette unique fois, mais garde cette vision dans ton cœur et sache que je serais toujours près de toi, même si tu ne me vois pas, même si tu ne me sens pas.

Auprès de chacun de nous, il y a quelqu'un qui nous aime, un peu comme un guide. Jamais personne n'est seul au monde…

— Maman reste encore un peu…

— J'ai encore beaucoup de choses à réparer dans mon histoire, ma chérie, mais n'oublie jamais que je t'aime et que cet amour sera notre lien le plus sûr. Je dois partir à présent… Je ne peux même pas te serrer dans mes bras, mais, dès ce jour, il suffira que tu fasses appel à moi et je serai là, où que tu sois, je connais le chemin qui me mène jusqu'à toi. »

Lili sent tout à coup son cœur et son corps respirer différemment… Comme si un espace se créait en elle, lui permettant de respirer profondément et intensément la vie. Elle reste là sans bouger, de peur de s'apercevoir que ce n'était qu'un rêve et que tout va disparaître à son réveil. Non, elle est réveillée depuis longtemps et cette apparition qui l'habite va désormais l'aider à accomplir sa propre histoire. Le sourire de sa mère qui, elle le sait désormais, ne l'a pas abandonnée, est gravé en elle, pour le meilleur et pour le pire.

Sur les plans de l'âme, un Être de Lumière attend Sophie, tandis que deux autres êtres, à ses côtés sourient.

« Sophie, nous t'attendons, lui lance le premier des trois d'une voix enjouée.

Personne ne punit le suicide et toi seule te juge et souffre. Nous avons lu en ton âme et nous sommes près de toi depuis longtemps bien que jamais lors de ta vie sur terre tu n'aies pris conscience de notre présence.

Aujourd'hui, ton âme sent le besoin impérieux de revenir sur cette même terre et de vivre autrement cette peur de la maladie et de la mort. Te sens-tu prête à mener jusqu'au bout le contrat avec ta nouvelle vie terrestre ? »

Tel un petit soldat courageux, Sophie se campe toute droite devant les trois êtres :

« Non seulement je suis prête, mais j'ai vraiment envie de contribuer à apporter un peu plus de lumière sur Terre.

— Ton programme sera le suivant : Lorsque tu reviendras sur terre, tu auras une maladie difficile à guérir. Tu mourras de cette maladie à la fin des 16 ans qui te restaient à vivre. Ton père sera celui qui, dans ta vie précédente, a tellement culpabilisé au sujet de ta mort qu'il en a raccourci sa vie.

Tu seras dans une école catholique car il est grand temps de faire la paix en toi avec cette religion.

Quant au reste, à la façon dont tu vivras ces années et ce que tu apporteras à chacun, cela ne dépendra que de toi.

N'oublie pas que, quels que soient les épisodes de ta vie, nous serons toujours près de toi. »

Le deuxième être s'est avancé et a touché le bras de Sophie en signe d'affection.

« Quant à Lili, tu la reverras et tu sauras comment

l'aider » continue-t-il, rassurant.

Élisabeth est maintenant près de moi, rayonnante.

« Tu comprends maintenant pourquoi je suis revenue et pourquoi aussi je suis partie… »

J'ai juste envie de lui répondre : « Merci Élisabeth, pour ta présence et pour ce partage des moments si douloureux de ta vie. »

Les mots ne viennent pas, nous nous prenons affectueusement dans les bras et à l'instant où nos cœurs se rencontrent, se grave en moi une marque indélébile :

Le Sourire d'Élisabeth.

ENSEIGNEMENTS

« Dis aux humains de la Terre que lorsque l'Être qui se suicide est lucide et se voit au-dessus de son corps mort, comme c'est le cas de Sophie, il éprouve un grand désarroi. Tandis que des épisodes de sa vie défilent avec rapidité, l'entité perçoit et ressent, au plus profond de son être, l'inutilité de son acte et le sacré de la vie qu'elle vient de supprimer.

Là commence l'Enfer :

Un monde de souffrance d'où personne ne peut l'extraire si elle-même n'entrouvre pas la porte.

Reliée à tous ceux qu'elle aime, l'entité vit intensément les souffrances de chacun et perçoit l'illusion de ce qui l'a poussé à mourir et à modifier ainsi le parcours de ceux qui lui sont proches.

C'est sa culpabilité qui lui crée un véritable tourment et la condamne à vivre dans un univers de désespoir et d'ombre.

Dans les mondes que vous appelez "d'Après-Vie" personne ne condamne ni ne juge. l'Être seul, est le juge le plus impitoyable qui soit, pour lui-même.

Combien de personnes qui se suicident croient bien souvent qu'elles ne sont pas aimées, qu'elles ne supporteront pas l'épreuve qui est la leur et qu'elles sont incapables d'apporter de l'amour.

Illusion, Illusion d'un Ego qui a peur de la mort…

La peur avait séparé Sophie de la Vie, l'amour pour son enfant, plus fort que toutes les culpabilités, lui a offert, une ultime fois, de reprendre contact avec la Vie.

Sophie acceptera de revenir dans un corps physique pour passer une nouvelle fois l'obstacle de la peur de la mort qu'elle croyait éviter.

Élisabeth assumera pleinement sa vie tandis que sa générosité joyeuse et attentive dissipera les nuages autour de ceux qui la côtoient.

C'est sa contribution à cette vie interrompue et à tous ceux qui, par ce geste, ont dû modifier le cours de la leur. »

La voix porteuse de l'enseignement s'estompe tandis que, quelque part tout au fond de moi, monte la certitude de la beauté de la Vie sur terre…

La solitude d'Arthur W.

« IL N'Y A PAS DE SOLITUDE POUR QUI A ACCEPTÉ LE RÔLE
QUE LA VIE LUI A PROPOSÉ, SANS CHERCHER L'ACTION
QUI VA SATISFAIRE SA SEULE FIERTÉ. »

— Chemins de ce Temps-là.

Deux grands piliers de pierres encadrent la majestueuse entrée qui, bordée de grands conifères, mène à un bâtiment ancien du XVIIIe siècle, rénové avec un goût certain. Un vaste perron et de grands escaliers de pierre accueillent l'Arrivant, tandis que des statues d'une facture très italienne et des vasques débordantes de fleurs contribuent à la beauté de l'ensemble.

Rien ne laisserait penser qu'il s'agit là d'une maison de retraite pour personnes âgées, tant le lieu semble encore habité par la noblesse de l'époque précédente.

L'intérieur des lieux, plus fonctionnel, garde ce charme ancien des vieilles bâtisses tout en proposant à sa clientèle un confort très XXe siècle.

Dès l'entrée, divers panneaux indiquent les prestations offertes : Salle de repos - lieu de culte - salle de jeux - salle de télévision - salon de beauté - salles de repas - toilettes -

lieu de rencontre.

L'ensemble de l'institution donnerait davantage l'impression d'un lieu de repos dans un château-hôtel si ce n'est la présence d'un personnel actif, en blouse bleue ou blanche et de personnes exclusivement âgées ou handicapées.

Ce jour-là cependant, un sujet de conversation semble interrompre l'apparente quiétude des lieux.

Près du distributeur de confiseries et de boissons du couloir qui mène à un petit salon de télévision commun à l'étage, deux femmes discutent avec animation et une pointe d'énervement.

L'une d'elles, une brunette d'une trentaine d'années, à la taille un peu épaisse, tourne avec rapidité une cuillère en plastique dans son expresso fumant.

« Je ne sais plus que faire avec Monsieur W. Il ne veut pas prendre ses cachets et c'est tout juste si j'ose entrer dans sa chambre pour lui apporter son déjeuner. Je sais que ce qu'il va me dire va encore m'exaspérer… C'est toujours pareil depuis trois semaines. »

La grande rousse, aux cheveux relevés en chignon, qui lui fait face, regarde à travers des lunettes dont la monture est parfaitement assortie à la couleur de ses cheveux. Elle fait mine de se concentrer sur le contenu odorant du potage verdâtre de son gobelet en plastique.

Visiblement elle ne sait que répondre et murmure sans conviction à l'adresse de sa collègue :

« Peut-être devrions-nous cette fois en parler durant la réunion de ce soir. Cela semble important. Nous ne pouvons prendre de risques : nous serions considérées comme responsables, s'il lui arrivait quelque chose. »

Tandis que les deux femmes continuent leur conversation, à quelques mètres de là, dans une aile de la grande bâtisse, un homme long et maigre regarde, par la baie vitrée de son appartement, le grand parc qui s'étire vers la rivière qui coule tout en bas tandis que deux petits écureuils roux grimpent avec agilité sur le tronc d'un grand chêne.

Visiblement le spectacle aux couleurs de fin d'été ne semble guère le distraire de cette mélancolie qui imprègne tout son être.

Il se retourne et, d'un air désabusé, son regard balaie le lieu qui lui sert d'appartement. Quelques objets d'Afrique, quelques tissus et des fauteuils en bois rouge lui rappellent les souvenirs de son ancienne vie de voyageur-explorateur et surtout de toutes ces années au service de populations incroyablement démunies. Il sait bien que cette installation n'a rien de provisoire et que lorsque ses enfants l'ont amené là, avec son consentement bien sûr, ils avaient tous le cœur un peu serré.

Monsieur W. porte ses quatre-vingts ans avec fierté et une certaine noblesse. Son corps tout en nerfs et en muscles ne l'avait jamais trahi jusqu'à ce jour d'hiver, il y a quelques mois...

Il se souvenait d'avoir rangé sur le dessus d'une armoire d'une des chambres de sa grande maison, un tableau africain qu'il avait envie de revoir et pourquoi pas, d'accrocher, s'il trouvait un mur suffisamment grand pour cela.

L'opération n'avait rien de risqué à ses yeux et pourtant, il se souvient d'avoir eu comme un vertige alors que son pied droit se posait sur la dernière marche de l'escabeau qui lui permettait d'atteindre le haut de l'armoire et puis plus rien... il ne se souvenait plus de ce qui s'était passé, un trou de mémoire.

Ses enfants lui ont raconté qu'il avait eu un malaise et qu'il était resté là, vingt-quatre heures, allongé sur le sol, souffrant d'une fracture de la hanche, jusqu'à ce que sa fille aînée arrive pour prendre de ses nouvelles. Fort heureusement, elle se rendait chez lui trois fois par semaine depuis la mort de sa deuxième épouse.

Après cet épisode, les cinq enfants avaient demandé à faire une réunion de famille. Il sortait juste de l'hôpital où sa hanche avait été consolidée et il se sentait encore dépendant des uns et des autres, étant donné sa difficulté à marcher. Il ne voulait pas refuser cette réunion, mais un malaise qu'il ne pût définir le traversa au moment même où il accepta.

Lors de cette soirée mémorable où ils furent tous réunis dans sa propre maison, il se souvient encore de la scène, comme si cela venait de se passer à l'instant même.

Dans la grande cheminée si propice à réchauffer l'humidité hivernale brûlait un grand feu alimenté par des troncs d'arbres secs et entretenu par l'un de ses fils, le second, le plus timide ou tout au moins, celui qui ne lui avait jamais causé de problème tant il semblait invisible.

Les cinq enfants et lui-même s'étaient finalement installés dans les fauteuils en tek, aux vastes coussins en tissage brun, souvenirs tangibles de ses années vécues en Afrique.

En fait, tout dans cette maison était meublé par des objets rapportés de ce vaste continent : La grande table en bois rouge, les statues et les batiks du Burkina, les poteries maliennes, les chaises droites et totalement inconfortables aux dossiers artistiquement sculptés. L'ensemble donnait la sensation dépaysante, dans ce coin d'Alsace, d'être en visite chez un roi africain.

Bien que chacun eût souhaité se montrer joyeux, et malgré le whisky, le gin-tonic et les apéritifs préparés par la dame de compagnie qui s'occupait de Monsieur W. depuis quelques années, personne ne parvenait à se détendre vraiment.

Le plus jeune de ses fils, le plus impétueux, le moins docile, prit enfin la parole d'un ton rendu agressif par l'insécurité qui l'habitait :

« Papa, nous sommes fatigués d'avoir sans arrêt peur qu'il ne t'arrive quelque chose. Nous travaillons tous et, à l'exception de Rose, nous habitons tous loin d'ici. Moi, le premier, je voyage de plus en plus loin et sur des périodes de plus en plus longues pour mon travail. »

Arthur W. ne put s'empêcher de sourire intérieurement en pensant combien ce fils-là lui ressemblait, bien que précisément, il ait toujours voulu se démarquer de son père.

« Depuis que Line, ta deuxième femme est morte, continua-t-il, nous ne cessons de nous inquiéter. Que va faire papa tout seul durant les vacances ? Et durant les périodes de fêtes, c'est un véritable casse-tête que de prévoir lequel d'entre nous va se sacrifier pour toi... »

L'homme d'une quarantaine d'années s'arrête comme pour reprendre son souffle tandis que Monsieur W. un verre à la main la sent trembler imperceptiblement. Émotion certes, colère peut-être, il n'est pas capable à l'instant même d'analyser ce qui se passe en lui, il est trop submergé par les mots qu'il vient d'entendre et surtout, par tout ce qu'il imagine de non-dit derrière eux.

Lui qui a toujours été indépendant, autonome, ne demandant jamais rien à personne, il se sent soudain si fatigué.

Il a beaucoup travaillé dans l'humanitaire et c'est toujours lui qui a organisé les groupes de bénévoles et dirigé les actions les plus salutaires. C'est d'ailleurs ce qui l'a amené à vivre beaucoup d'années entre l'Afrique et l'Alsace.

Ses pensées s'envolent vers un passé de plus de cinquante années en arrière…

Originaire d'une famille d'agriculteurs alsaciens, il avait tout fait pour sortir de ce milieu qu'il méprisait. Il avait eu longtemps honte de l'inculture de ses parents et avait laissé à ses frères et sœurs le soin de s'en occuper. Lui, il avait « une mission » à accomplir, celle d'aider les pays pauvres à s'en sortir. C'était sa force et la fierté de sa vie.

Il entend à peine la voix de son fils qui reprend :

« Papa, tu n'as jamais eu beaucoup de temps pour nous. Je t'ai attendu des jours et des jours dans l'espoir que tu viennes un jour me voir à un match de foot ou à une réunion de professeurs. J'étais fier d'avoir un père voyageur et dans l'humanitaire, mais jamais tu n'avais de temps à nous consacrer. »

Le père cette fois entend cette répétition et ne dit rien. Il ne sait que répondre. C'était vrai qu'il avait consacré sa vie au monde en oubliant qu'il avait une famille. Sa première femme d'ailleurs le lui avait reproché trop souvent et, de dispute en dispute, elle avait fini, de guerre lasse, par le quitter.

Il n'avait pourtant pas l'impression de ne pas s'être occupé de ses enfants. Il pensait à eux partout où il était, il essayait toujours de savoir ce qui se passait et comment ils allaient. Bien sûr, une fois qu'il était rassuré, il s'occupait de tous ces gens qui, malades, sous-alimentés, non scolarisés, retenaient toute son attention et éveillaient sa compassion.

Non, il n'avait rien à se reprocher, ses enfants avaient tout ce qui leur fallait : l'argent, un toit confortable, une bonne santé et leur mère avec eux.

Au fond de lui, il sentait bien qu'il se mentait un peu, juste un tout petit peu pour être en paix avec sa conscience.

« Papa, c'est vrai que j'ai eu très peur pour toi et que j'ai beaucoup à faire entre mon travail et les enfants qui deviennent grands. Je ne me serais jamais pardonnée, si tu étais mort sur ce sol froid sans personne à tes côtés. »

Cette fois, c'est sa fille aînée Rose qui intervient d'une voix plaintive…

« Une chrétienne, comme sa mère », pense-t-il, un peu agacé devant cette fille tellement semblable à sa première femme.

La discussion se fait plus tranquille et personne ne remarque chez le vieil homme ce sentiment d'impuissance qui le submerge et qu'il parvient à dissimuler avec peine. Il ne veut surtout pas paraître faible et se plaindre ou supplier qui que ce soit.

Il remarque simplement qu'aucun des enfants n'a proposé de le prendre dans leurs maisons qu'ils ont grandes et confortables.

Arthur a toujours été d'un tempérament vif et cette fois encore, il se redresse, et du haut de sa fierté blessée, il répond sur un ton qui n'accepte aucune alternative :

« De toute façon, je pensais prendre un appartement dans ce domaine prévu pour la retraite. Vous voyez de quoi je veux parler… de ce manoir restauré. Il me paraît bien sous tout rapport et ainsi, je n'aurai plus à penser aux corvées quotidiennes. Je pourrai enfin me consacrer aux jeux d'échecs et peut-être, pourquoi pas, au golf. »

Les enfants ne cachent pas leur étonnement et leur soulagement devant l'annonce de cette décision :

« Papa, tu prends la maison de retraite la plus chère du pays, lui lance en riant le plus timide des cinq, toutes tes économies et ta pension vont y passer.

— Vous ne comptiez tout de même pas vivre sur mes rentes, espèces de chenapans ? » ajoute le père en riant.

Tout le petit monde semble apaisé tandis que le reste de la famille de chacun arrive à l'heure prévue pour terminer la soirée dans un bon restaurant de la région.

En fait, le cœur de Monsieur W. est lourd.

C'est un toast à la fin de sa vie d'homme actif et indépendant que le vieil Arthur lève à la fin de ce copieux et, pense-t-il, dernier repas.

Voilà maintenant plus de six mois qu'Arthur est arrivé dans cette maison de retraite et qu'il habite ce « deux pièces », l'un des plus vastes de la maison. Il n'a à se plaindre de personne. Le personnel est chaleureux, la nourriture correcte et les activités diversifiées. Sa voisine, une vieille dame coquette de dix ans de moins que lui, l'invite souvent à l'accompagner au restaurant, à la bibliothèque ou aux sorties proposées mais rien n'y fait… Arthur s'ennuie. Il pensait qu'il allait consacrer son temps à des activités et, au lieu de cela, il s'aperçoit peu à peu que le monde extérieur ne l'intéresse plus.

Il se fait violence pour accompagner sa voisine et ne pas paraître désagréable mais aussi parce qu'il sent bien qu'en lui, un rouage ne fonctionne plus.

Plus les jours passent et moins il sent le besoin et l'envie de sortir de sa chambre. Lui, l'homme actif et infatigable d'autrefois, il se sent fatigué et même plus que cela: démotivé, inutile, incapable bref, hors du jeu de la vie.

Lire ne l'intéresse même plus, il s'endort et somnole au bout des quelques pages qu'il lit avec beaucoup de difficulté et dont il oublie vite le contenu. Il est vrai que sa vue a curieusement diminué depuis son arrivée ici, ce qui rend la lecture d'autant plus inconfortable.

Ce matin-là, assis dans le vaste fauteuil de bois aux larges accoudoirs, il pense: « Les enfants sont en vacances d'été et il est fort probable que je sois sans visite durant une bonne quinzaine de jours. »

Machinalement, il passe une main dans sa chevelure dense et d'un blanc argenté qui lui donne un air romantique tandis que ses pensées voguent vers cette Afrique à laquelle il a consacré sa vie.

Là-bas, les vieillards font partie de la communauté. La naissance, la mort, la vieillesse ne sont pas considérées comme des maladies, plutôt comme des changements de saison et personne n'est isolé. Dans les villages de cases, aussi démunis soient-ils, les vieilles personnes enseignent aux plus jeunes tandis que les parents essaient de ramener de quoi manger.

Tout le monde vit ensemble et c'est bon de sentir cette connivence.

Ses pensées vont et viennent comme les vagues de la mer:

« Ici dans nos pays développés, on met de côté les inutiles, ceux qui ne rapportent rien à la société: les malades, les vieillards, les asociaux, les handicapés... »

Déprimé par cette comparaison, qu'il aurait préféré éviter, Arthur n'entend pas les trois petits coups discrets qui viennent de cogner à sa porte, suivis aussitôt de trois autres plus sonores.

« Entrez » dit-il d'une voix peu accueillante tout en se demandant quel peut être l'intrus qui vient ainsi interrompre le fil de ses pensées.

La porte s'ouvre tandis qu'un prêtre en civil s'invite dans la pièce.

« Bonjour Monsieur W., voilà un moment que j'aimerais parler un peu plus avec vous, je ne vous connais pas encore bien. J'ai juste entendu parler de vous, de vos voyages et de vos actions humanitaires et j'aimerais connaître un peu mieux l'homme qui se cache derrière ce physique d'ascète. »

Le prêtre, un homme à la carrure sportive, au sourire chaleureux et à la mâchoire carrée ne semble guère dépasser les quarante ans.

Sa présence et le ton de sa voix apportent une note joyeuse à la pesanteur ambiante du lieu qui, telle l'ombre d'une pièce restée trop longtemps fermée, s'illumine enfin sous l'effet des rayons du soleil.

« Mon père, asseyez-vous, je veux tout de suite être clair, je respecte en vous l'homme, mais, je n'ai aucune attirance pour le prêtre et la religion que vous représentez. »

Ces paroles ne semblent toucher en rien le père qui prend un siège et s'assoit confortablement en face d'Arthur.

« Dites-moi, ce qui vous préoccupe, je peux peut-être vous aider. Voilà une semaine que vous ne sortez plus de votre appartement bien que vous ne soyez pas malade. Le personnel n'ose plus vous demander comment vous allez tant vous paraissez triste.

— Je doute que vous puissiez m'aider. Je ne crois pas en votre dieu qui laisse les humains se battre et mourir de faim tandis que d'autres se gavent et meurent de suralimentation.

Un Dieu qui laisse l'injustice régner sur terre ne peut m'aider, ni moi ni personne. »

Le prêtre écoute attentivement et perçoit la colère et l'impuissance contenues dans ces derniers mots.

« Parlez-moi de vous et laissons Dieu de côté… »

Cette fois Monsieur W. ne dit rien, il se sent vide et fatigué, tellement las de tout.

« Laissez-moi, dit-il sans agressivité, j'ai envie d'être seul. »

Le prêtre sort non sans avoir posé quelques instants sa main sur l'épaule du vieil homme en signe d'amitié.

« J'aimerais vraiment que vous me parliez de votre vie. »

Son intérêt semble réel et ces derniers mots qu'il perçoit sincères, se posent tel un voile paisible sur le cœur d'Arthur.

Les semaines s'écoulent dans la monotonie et Arthur n'arrive plus à trouver un quelconque intérêt à sa vie. Il n'a qu'une envie, celle de disparaître définitivement de cette terre. Il ne laisse cependant plus rien paraître de sa tristesse depuis la visite du prêtre car il sait bien que les médicaments qui lui seront administrés, si les médecins pensent qu'il est dépressif, le laisseront encore plus impuissant que jamais.

Il a décidé, au fond de lui, depuis cette visite, de partir la tête haute, sans maladie, sans devenir un poids pour lui ou pour les autres. Il considère tout bien pesé qu'il a fait au mieux de ce qu'il pouvait et, après avoir passé en revue les différents épisodes de cette vie bien remplie, il décide qu'il est temps d'en finir avec cette survie qui ne veut plus rien dire à ses yeux.

C'est l'automne avec ses arbres au feuillage roux qui, pense-t-il, lui indique que le moment est venu pour lui de faire ses adieux. Il n'a aucune amertume dans le cœur, aucun regret non plus et nulle intention de laisser de message…

Aujourd'hui, un vendredi de pleine lune du mois de septembre, le vieil homme a été particulièrement agréable avec tous et a même fait rire les cuisinières et les femmes chargées du ménage de son étage. Il est sorti avec sa voisine et a parlé avec le prêtre.

« Comme c'est agréable de vous voir si heureux aujourd'hui » lui lance la jeune femme qui vient faire le ménage de son petit logement.

Nous sommes samedi matin et tandis que Rose et son mari préparent le petit-déjeuner, le téléphone sonne. Étrangement Rose sent son cœur se serrer sans qu'elle en comprenne la raison. C'est son mari qui la voyant immobile décroche le combiné et entend : « Je suis bien chez Rose S. ?

— Oui, je suis son mari.

— Venez dès que vous le pourrez, continue la voix au téléphone, son père vient de mourir dans des circonstances douloureuses. »

Jacques ne sait comment annoncer la nouvelle à son épouse… qui a déjà compris. Un peu pâle, elle s'assoit tandis que son mari l'entoure affectueusement de ses bras

Les cinq enfants ont été prévenus de la même façon. Rose et Jean, les plus proches, vont aller avec Jacques jusqu'à la maison de retraite au plus vite tandis que les deux autres se rendront chez Rose dès demain. Un seul ne pourra être là, le plus jeune qui, en voyage d'affaire à Bangkok, n'a pas pu trouver d'avion avant le lendemain soir.

Arthur s'est pendu, pendant la soirée du vendredi, au plus bel arbre du grand parc, un chêne centenaire. Personne ne sait comment il a pu sortir sans que le personnel s'en aperçoive ni comment il s'est procuré la clé de l'entrée toujours fermée à partir de onze heures du soir.

Il est maintenant là, allongé sur un bloc réfrigéré dans la petite pièce éloignée du bâtiment principal et qui sert de « morgue » et de reposoir pour les pensionnaires qui ont terminé leur vie. Son visage respire la sérénité de ceux qui n'ont rien à se reprocher.

Je suis là dans un espace aux murs vivants avec, à mes côtés, un être longiligne à la chevelure sombre et aux yeux éclatants de bonté et de gaîté. Nous sommes dans la salle des souvenirs où j'ai rejoint, avec mon corps de lumière, celui qui fut Arthur W.

J'ai des difficultés à croire qu'il s'agit bien de la même personne.

« Pas tout à fait... » ajoute gaiement l'être qui me regarde maintenant intensément.

« J'ai joué le rôle que tu viens de voir sur l'écran des mémoires de vies, car je m'étais promis de connaître et d'apporter la compassion et le service aux "autres", ces humains que, dans une de mes vies précédentes, j'avais trop longtemps ignoré et bien souvent méprisé pour leur inconstance et leur superficialité. Jamais je n'avais dans cette incarnation-là, pris conscience qu'ils reflétaient des parties de moi que je ne voulais surtout pas regarder. Dans cette ancienne vie, j'avais fui le monde et vivais en ascète religieux et solitaire, perdu dans les montagnes d'Asie centrale, rempli d'orgueil et accompagné de mes jugements et de mes colères dont je ne percevais pas la présence constante à mes côtés.

J'ai simplement oublié que mon histoire présente comportait aussi l'acceptation de soi et de la vie, sans jugement, sans contrôle.

Lorsque je me suis pendu, j'ai connu durant quelques années terrestres l'univers que je croyais rencontrer après la mort... c'est-à-dire, le Rien, le Vide ou le Néant.

J'étais comme un papillon enfermé dans sa chrysalide... jusqu'au jour où, imperceptiblement, j'ai commencé à sentir des mouvements, dans ce cocon insonorisé, semblables à des ondes fraîches et apaisantes. Peu à peu je me mis aussi à entendre des sons que je percevais au début, comme des tintements cristallins et qui se transformaient en musique que certains qualifieraient de "céleste". Je croyais même entendre des chœurs !

Tout cela m'interpellait, mais je me refusais encore à croire en un au-delà que j'avais passé une vie durant à nier.

C'est alors que je sentis sur mon corps, que je croyais inexistant, des pressions douces, des caresses. Je ne pouvais que me rendre à l'évidence : quelque chose de moi vivait et percevait encore.

Je commençai, au fil d'un temps hors du temps, à me réveiller d'un long sommeil tout en me demandant si j'avais échoué dans ma tentative de mettre fin à mes jours, seule pensée encore vive en moi.

Lorsque j'acceptai d'ouvrir enfin les yeux et de regarder ce qui m'entourait, je ne vis que des silhouettes lumineuses auprès de moi qui me balayaient de rayons de couleur et de sons.

En moi une conscience se réactivait tandis que les souvenirs, tel un album de photographies animées et vivantes, me revenaient avec une netteté inhabituelle.

En ce qui me paraissait n'être que quelques instants, je revis ma vie dans les moindres détails, même ceux qui me semblaient les plus insignifiants mais, dont je comprenais avec précision, toutes les conséquences. Le tableau avait bien sûr des ombres mais l'ensemble me paraissait acceptable... à l'exception de quelques scènes qui auraient pu être mieux jouées.

Des êtres, en qui je reconnus de vieux amis, venaient de plus en plus souvent auprès de moi. Ce sont eux qui m'aidèrent à comprendre et à voir ce qui s'était passé et je compris...

Tout m'apparut de façon limpide et un jour, je sus instantanément que l'acte de suicide que j'avais commis était contraire à tout ce que je m'étais programmé pour cette vie sur terre. Je vis combien de temps, il me restait à vivre et comment j'aurais pu achever cette vie dans la sérénité, sans en interrompre volontairement le souffle.

Je n'avais pas été capable d'honorer en moi la Vie et de respecter ce corps qui m'avait été confié. Peu importe ce que j'avais fait durant toutes mes années sur terre. Ce dernier acte n'avait pas été joué comme il m'avait été proposé ni comme je l'avais voulu. J'avais changé la pièce de théâtre et je devais en accepter les conséquences en rejouant cette dernière partie.

Regarde maintenant et tu vas comprendre ! »

L'entité étend le bras vers l'une des parois du lieu où nous nous trouvons. Sur un geste de sa main grande ouverte, une brume envahit l'espace et je sais ce que cela signifie :

Bientôt va m'apparaître un nouvel épisode de la vie d'Arthur W.

En fait, ce n'est pas un pan de la vie d'Arthur, tel que je m'y attendais qui se dévoile mais, une histoire un peu différente…

Une petite fille blonde, au teint clair, âgée de quelques mois est dans un berceau. Les parents aux visages inquiets veillent sur l'enfant tandis qu'ils parlent entre eux une langue que je reconnais appartenir à un pays d'Europe mais que je ne comprends pas.

« C'est encore moi, murmure près de moi l'entité aux cheveux sombres et au regard de jais, mes nouveaux parents viennent d'apprendre que je suis atteinte d'une leucémie. Peu importent les circonstances qui ont apporté cette maladie, elle était consentie et acceptée de part et d'autre. Mes parents l'avaient fort heureusement effacé de leur mémoire.

Je ne vivrai qu'un an et demi mais durant tout ce temps mes parents et moi, nous allons apprendre la Compassion, le Lâcher prise et la Foi.

Non pas la foi en une quelconque divinité mais la Foi, celle qui reste lorsque, tout ce qui pouvait être fait sur le plan humain a été accompli, lorsque nous nous trouvons face à une paroi lisse à laquelle nous ne pouvons plus nous raccrocher.

C'est alors que dans l'espace vide dans lequel plus rien ne semble exister et qui nous fait tellement peur, commence à renaître l'Essence de notre être, le Soi qui dort si souvent au fond de chacun de nous.

Pour nous trois, ce fut l'épreuve de l'acceptation totale de ce que nous ne pouvions pas changer. Un acte d'Amour infini, sans révolte et sans condition. Si loin de la résignation qui sonne à nos oreilles comme une défaite et que tous trois nous avions si souvent approchée dans d'autres vies.

Dans mon petit corps fragile d'enfant, je venais guérir ma mort et aider deux êtres à guérir leurs vies.

Ce corps bien sûr souffrait, mais quand la douleur était trop forte, mon âme s'envolait alors vers ce monde que je venais tout juste de quitter.

Je savais que bientôt tout serait joué et cette fois je ne voulais plus échapper à mon histoire.

Durant tous ces mois, mes parents vécurent dans leur âme et dans leur corps toutes les émotions qui sont attachées à des êtres qui doivent laisser partir ce qu'ils pensent être une partie d'eux. Ma souffrance était la leur et je ne pouvais leur dire avec des mots, combien durant ces quelques mois, leurs âmes et la mienne se libéraient de vieux contentieux qui étouffaient encore nos cœurs.

Ils revivaient tous deux une vieille et sombre histoire d'attachement, la mort d'un être aimé qu'ils n'avaient jamais acceptée.

Ils comprenaient soudain qu'aimer sans condition, c'était aussi accepter que "l'autre", l'aimé, suive un itinéraire que nous n'aurions jamais envisagé ni pour lui ni pour nous.

Je mourus une nuit, tandis que maman, exténuée, s'était endormie aux pieds de mon berceau dans un vieux fauteuil à bascule. Je voulais être seule pour ce départ et je savais que la présence anxieuse de mes parents aurait rendu la tâche bien plus difficile.

Le matin de ma mort, je restai quelques instants auprès de mon père et de ma mère, juste le temps de leur dire que j'étais bien vivante et que la mort n'était pas le contraire de la vie.

Je savais qu'ils allaient faire un grand pas et que cette mort n'avait rien d'inutile. C'était une évidence pour moi que rien, pas un caillou de la route qui est la nôtre, n'est là par hasard et mon cœur se remplit de gratitude et d'Amour envers la Vie. Je déposai tendrement un baiser sur le front de chacun en remerciement pour ce corps qu'ils m'avaient permis d'avoir et pour tout l'amour qu'ils m'avaient donné en si peu de temps. J'aurais tellement souhaité qu'ils me voient et m'entendent pour adoucir leur peine... j'acceptai enfin qu'il en soit différemment. C'est alors que je me sentis aspirée par un tourbillon lumineux tandis que la Terre et mes parents se réduisaient peu à peu sous moi à un simple point, brillant comme un cristal.

Dans cet espace d'où je survolais tout, une paix profonde et intense m'envahit. Rien de ce qui aurait pu résonner en moi comme de l'injustice n'existait. Je savais en cet instant que tout était parfait ! Les joies et les peines vues d'ici devenaient des illusions que nous, "les incarnés dans la matière dense", tenions pour des réalités.

Je retrouvai enfin les compagnons qui m'avaient guidé jusque-là, en pensant sincèrement que ma tâche était terminée. J'allais pouvoir enfin rejoindre les plans de Lumière auxquels j'aspirais et dont ils m'avaient tant parlé.

Je lus alors dans leur regard, que ma mission et la réparation de mon histoire n'étaient pas encore achevées.

La tâche suivante qui m'incombait n'allait pas manquer de m'étonner :

J'allais durant quatre-vingts ans de vie terrestre devoir

accompagner et aider, depuis l'invisible, des "vivants" aux idées suicidaires. »

L'être au visage angélique s'arrêta quelques instants et nous nous regardâmes avant de partir d'un grand éclat de rire.

« La vie ne manque pas d'humour, continua-t-il. Je me pris au jeu et décidai d'accomplir cette dernière étape avec tout l'amour dont je me sentais capable. Je pensais tout savoir de l'aide à autrui sans prendre conscience que dans mon orgueil de sauveteur, j'oubliais l'essentiel : accepter que l'autre ne nous entende pas, sans ressentir d'impuissance. Se détacher de toute idée d'échec et de réussite... »

Une nouvelle fois, l'espace dans lequel nous nous étions retrouvés, se teinta de la brume opalescente, caractéristique qui précède la vision des scènes de vie. Celles qui se présentèrent furent pour le moins surprenantes, dues à la présence des « anges et des hommes » en étroite collaboration.

Nous sommes dans un grand magasin d'une ville qui me paraît très grande et bruyante. J'identifie assez vite une ville d'Amérique latine et le Corcovado qui apparaît tout à coup dans mon champ de vision ne me laisse plus de doute. Il s'agit bien de Rio de Janeiro

Trois silhouettes de lumière, dont l'une d'elles m'est familière, sont là, semblables à des traînées lumineuses qui se déplacent avec rapidité et dans un mouvement en spirale qui ne cesse jamais. Un peu en dessous d'elles, sur un escalator qui descend vers la sortie du grand magasin, une femme d'une cinquantaine d'années porte un lourd panier à provisions qui tire sur son bras et son épaule.

Je perçois ses pensées avec une netteté inouïe :

« Il faut que je me presse sinon Juan sera là avant moi et comme d'habitude ce sera des cris et des coups. J'en ai assez de lui servir des repas qu'il me jette à la figure. D'ailleurs je me dégoûte, je n'ai pas le courage de partir car je ne sais pas où aller, je suis une lâche. Par moments, j'ai envie qu'il me retrouve morte, là sur le carrelage de la cuisine, il verra ce que c'est la vie sans moi et puis ça lui fera sûrement des tracas avec la police, il le mérite bien. »

Tout absorbée dans ses réflexions amères, la femme continue sa route sans s'apercevoir qu'une silhouette de lumière est auprès d'elle depuis le début de son monologue intérieur. Elle est maintenant arrivée à l'arrêt du bus et pose son lourd paquet tout en essuyant la sueur qui perle sur son front. Elle sait qu'il lui faudrait maigrir car son cœur s'essouffle mais pour qui et pour quoi se priverait-elle des sucreries qui l'aident à trouver, momentanément, la vie moins triste.

L'arrêt du bus est maintenant rempli d'un petit peuple coloré et bruyant tandis que le bus, comme à son habitude est en retard.

Je perçois avec netteté la silhouette de lumière à ses côtés qui, penchée sur le côté de son épaule, lui touche affectueusement le bras et murmure dans un souffle :

« Regarde comme la mer devant toi est belle, regarde autour de toi la vie qui continue. Tu n'es ni trop âgée ni trop malade. Tu es encore capable de changer ta vie… il est encore temps d'agir. »

Tout à coup, comme mue par une idée nouvelle, la femme abandonne son pesant panier et sort de l'abri du bus tandis qu'elle se dirige d'un pas ferme vers une destination que je ne peux deviner. Le monologue intérieur se poursuit mais cette fois, le ton est tout autre :

« Je viens d'avoir une idée. Je vais passer quelques jours chez Samira, mon amie de toujours et là je vais y voir plus clair. Après tout je ne suis pas si mal et autrefois les hommes me courtisaient beaucoup. Je vais chercher un travail et m'occuper de moi. Seuls les enfants sauront où je me trouve. Ils sont grands et autonomes… » Cette idée nouvelle semble la faire sourire intérieurement, tandis qu'instantanément, la silhouette de lumière est à mes côtés :

« Ce que tu viens de voir n'a rien d'une exception, nous sommes nombreux à agir de la sorte et les deux traînées lumineuses qui m'accompagnaient sont deux de nos enseignants qui passent de l'un à l'autre quel que soit l'endroit de la terre où nous nous trouvons et nous aident à accomplir au mieux notre tâche.

Chacun des êtres qui s'incarne sur terre a un guide ou plusieurs selon les périodes et les circonstances de sa vie. Il est pourtant des moments de grand désarroi où des êtres, dont la "mission" est plus spécifiquement axée sur l'aide et la transmission de pensées lumineuses, rentrent dans l'aura de ceux qui ne voient pas la fin du tunnel.

Nous accompagnons ces personnes quelque temps, le temps qu'un changement s'opère en eux, le temps que nous puissions toucher et éveiller la beauté et le cristal de leur propre cœur.

Souvent, ces êtres n'ont aucune idée de la lumière qui est en eux et de leur capacité à résoudre leurs propres histoires. Ils se sentent perdus ou au bout du rouleau, comme on le dit sur terre, parce qu'ils ont simplement oublié ce qu'ils sont : des êtres de Lumière qui expérimentent la matière, chacun selon son histoire de vie.

Parfois nous ne pouvons pénétrer dans une aura car l'être ne laisse aucune porte d'entrée. Cela arrive lorsque le mental de la personne est trop important et lui fait croire qu'il faut agir de telle et telle façon. L'écoute dans ce cas précis devient imperceptible et l'être se croit seul alors que nous n'attendons qu'un peu de détente de sa part pour lui venir en aide.

D'autres êtres qui émettent sans cesse des pensées sombres et pesantes s'entourent d'un nuage opaque difficile à traverser mais là aussi, nous attendons que ses guides et les circonstances de sa vie aient commencé à fissurer cette coquille. Alors nous intervenons... Juste un coup de pouce !

Comme sur terre, il arrive que notre présence soit sans conséquence quant au résultat attendu. Les enseignants nous apprennent alors à accepter avec humilité que l'itinéraire de cet être soit ainsi et que sa vie se complique encore un peu plus. Notre amour n'en est pas diminué pour autant et nous attendons un moment plus propice pour intervenir.

Le non-jugement fait partie de notre apprentissage ainsi que l'acceptation, sans attente de résultat

Dis simplement aux humains de la Terre que jamais, au grand jamais ils ne sont seuls. Si parfois ils s'enferment dans un nuage de solitude, qu'ils sachent pourtant qu'autour d'eux, des êtres qu'ils ne voient pas, qu'ils n'entendent pas, les aident et les aiment.

Peu importe ce qu'ils font ou ce qu'ils ont fait ou feront, peu importe ce qu'ils sont ou ce qu'ils deviendront. Le seul fait qu'ils soient sur terre est la marque que leur vie est un joyau précieux.

Le corps est un cadeau pour faire l'expérience de la vie et exprimer la beauté de la création. Il ne nous appartient pas car il est relié à tout ce qui vit dans les mondes physiques et subtils. Chaque naissance a sa raison d'être, sois en sûre. »

Il n'a pas besoin de me convaincre et je sais que cette rencontre touche à sa fin sur ce plan intermédiaire entre deux incarnations, pourtant, tout au fond de moi, une petite voix me dit que jamais rien ne s'arrête. Illusion, illusion de la séparation, de la fin d'une histoire, d'une vie…

Le grand Être me sourit et au fond de ses yeux de jais, je perçois des mondes, des soleils et des galaxies qui m'emportent vers d'autres lieux, d'autres rencontres.

Je voyage sur les ailes d'un « ange ».

ENSEIGNEMENTS

« Une personne qui ne croit pas en la Vie après la Vie est-elle coupable de se suicider ? C'est une question que certains d'entre vous doivent se poser.

Le "vieil" Arthur est-il coupable et de quoi ?

Il est sûr que lorsqu'Arthur se donne la mort, il n'a pas de regret, il pense seulement à se soustraire à la déchéance qu'il suppose venir vers lui et qu'il refuse. Il ne veut pas être un poids pour qui que ce soit et il pense que sa vie lui appartient.

Mais qui appartient à qui ? Qui a pris ce corps pour parcourir quelques années de vie sur Terre ?

Que l'entité en soit ou non consciente, ne modifie pas le fait que la vie est sacrée et que personne n'a droit de vie et de mort sur cette vie.

Comme tous, Arthur avait un parcours durant lequel il avait à apprendre, à comprendre, à donner. Il ne manquait en effet pas grand-chose, sur le plan des années, à ce parcours, mais qui peut dire ce qui aurait pu se passer durant cette année et demie, manquante.

C'est précisément ce dont s'est rendu compte l'entité, après sa mort.

Arthur ne s'était pas laissé la possibilité de vivre ce

moment d'ultime compassion avec lui-même, d'acceptation de ce que l'on est, au-delà du paraître. Ce moment où
la honte d'être dépendant se transmute en abandon confiant
à la Vie, cet instant où le sentiment d'Impuissance devient
Offrande. Il avait oublié de s'aimer et d'accepter de la vie
ce qu'il ne pouvait pas changer.

Ce sont ces instants que le vieil homme a refusés à son
âme. Pour cela, il ne lui était pas demandé une quelconque
croyance religieuse mais simplement et sans doute, est-ce
cela le plus difficile :

Un amour et une confiance totale dans la vie qui circu-
lait en lui.

C'est en s'incarnant dans le corps en souffrance d'une
toute petite enfant qu'il a pu retrouver le morceau de
puzzle manquant. »

L'entité sans visage m'enveloppe d'un voile de paix et
en cet instant au plus profond de moi, je sais que blanc ou
noir, bien ou mal, juste ou faux n'ont aucune signification
en dehors de celle que donne notre regard.

Les trois adolescents

Cette nouvelle rencontre, je la sentais déjà comme une évidence. Parler et écouter des êtres qui se sont suicidés ne pouvait exclure un âge où souvent, la vie que nous menons nous semble dérisoire par rapport à nos idéaux. Durant cette période, nous nous sentons impuissants et malmenés par cette vie que nous croyons, sincèrement, n'avoir pas voulue.

Je savais donc que la rencontre aurait lieu mais je ne me doutais aucunement qu'ils seraient trois à m'attendre ainsi, prêts à parler de leur vie et de leur mort physique.

Pourquoi trois ? Ce soir-là, lorsqu'avec mon corps subtil la rencontre eut lieu sur ce plan intermédiaire entre deux incarnations, je ne le savais pas encore.

Ces trois jeunes êtres se présentèrent à moi sans détour et avec toute la spontanéité de l'âge qui était le leur au moment de leur suicide.

Carole

« EN PRÉSENCE D'UNE GRANDE DÉCEPTION,
NOUS NE SAVONS PAS SI C'EST LA FIN DE L'HISTOIRE.
CELA PEUT ÊTRE PRÉCISÉMENT
LE DÉBUT D'UNE GRANDE AVENTURE »
— Pema Chödrön

« Tu m'appelleras Carole, me dit la jeune fille sur un ton enjoué. Je me présente à toi telle que j'étais lors de ma mort mais j'ai bien changé depuis, car j'ai appris que sur les plans de l'âme, le corps se modelait selon nos envies. Je me suis beaucoup amusée et exercée avec cette nouvelle possibilité car sur terre, mon physique me posait un problème qui me paraissait insurmontable. »

Je regardai attentivement la toute jeune femme à qui je donnais seize ans tout au plus. Très grande, longue et mince, presque maigre, le visage étroit encadré de longs cheveux blonds, très frisés, elle me dévisageait, elle aussi, de ses immenses yeux d'un bleu presque transparent ourlés d'un ton plus sombre, en attente d'une réaction de ma part.

J'étais interrogative car je comprenais mal comment une fille qui aurait pu être mannequin, dans notre société actuelle, avait eu tant de difficultés à accepter son physique.

Carole me sourit :

« Je sais, c'est étonnant de penser comment on peut se raconter des histoires mais, attend un peu et tu comprendras ce que j'ai vécu... »

En quelques instants devant l'écran de mon âme défilent des formes et des ombres qui peu à peu se transforment en un paysage de nos contrées occidentales.

Dans une somptueuse villa avec piscine et jardin fleuri, un couple prend tranquillement le repas du soir sur la terrasse tandis que, non loin d'eux, une jeune fille qui ne dit mot semble se détendre sur une chaise longue.

La voix de Carole me parvient douce et sereine.

« Ce sont mes parents, ils sont beaux, tu ne trouves pas ? »

Son interrogation ressemble davantage à une affirmation, en attente ou non de confirmation.

Du couple en effet, émane une aura d'élégance et de beauté. Tous deux blonds, longs et minces, de type nordique, respirent l'harmonie. Dans cette scène, ils sont vêtus simplement, d'une tenue de sport en éponge blanche, parfaitement coupée. Ils discutent maintenant tranquillement en prenant un thé du soir à l'ombre d'un grand arbre rose dont les branches ploient sous les fleurs.

« Mes parents sont riches et je suis leur fille unique. Ce sont tous deux des décorateurs réputés et ils aiment leur travail qu'ils considèrent comme un plaisir. La haute société les apprécie et ma mère a toujours beaucoup de succès auprès des hommes. Elle est presque parfaite : intelligente, artiste, bonne cuisinière, épouse aimante et mère attentive, elle est aussi très belle. Le tableau est idyllique et c'est précisément ce que je n'arrivais pas à accepter.

Je me sentais à côté d'elle comme un vilain petit canard. Cela devint une évidence ce jour où mes parents reçurent, comme ils le faisaient une fois par an, les personnalités, journalistes et clients, en rapport avec leur travail.

Je m'amusais, comme toujours, à courir entre les tables dressées à cet effet, pour servir les cocktails et entendre les remerciements amusés des adultes devant cette petite fille empressée.

J'avais tout juste sept ans et je venais malencontreusement de renverser un plateau chargé de verres remplis d'un cocktail rouge orangé sur la robe de soirée d'une femme austère et qui visiblement ne devait jamais avoir eu d'enfants.

Tandis que je m'apprêtais à courir pour prévenir la dame qui faisait le service, j'entendis une personne proche de cette femme lui lancer quelques mots qui telles des flèches empoisonnées me paralysèrent :

"Comme cette petite est maladroite ! Comment des parents aussi talentueux ont-ils pu donner naissance à une enfant aussi handicapée ?"

Cette phrase assassine est restée gravée en moi et même si je croyais l'avoir oubliée, elle continuait son œuvre destructrice en se rappelant régulièrement à moi.

À partir de ce jour, mes longues jambes que je comparais à celles des hérons, ma haute taille, ma maigreur, me semblèrent un handicap majeur dont je ne pouvais me débarrasser et que je ne pouvais changer.

Je me voûtai volontairement puis, par habitude, pour diminuer ma taille que certains élèves de ma classe jugeaient hautaine. Bref, je ne savais plus que faire tant j'aurais aimé passer inaperçue.

Mes parents essayaient de me rassurer, mais en vain. Plus ma mère me disait combien j'étais belle, plus j'avais l'impression qu'elle mentait et que jamais je ne pourrais être au niveau de ce qu'elle me paraissait représenter.

Imperceptiblement, je commençai à leur en vouloir à tous deux d'être si beaux et si heureux tandis que moi je me débattais avec ce que je croyais être mes handicaps.

"Maladroite et handicapée", voilà ce que j'étais et peut-être… méchante.

Un seul espoir m'habitait alors, devenir une danseuse étoile. J'étais inscrite à des cours de danse de haut niveau et je pouvais espérer, tout en continuant mes études, accéder à une école de formation pour danseuses professionnelles. À l'opposé de mes parents, j'aimais le classique et je me détournais de toute forme d'innovation ou de création, sans doute par crainte de ne pas être à la hauteur.

L'école de l'Opéra était à ce moment-là ma seule planche de survie. C'était mon secret et je n'en parlais à personne, de peur de voir mon rêve se dissoudre.

Mes parents étant souvent en déplacement pour leur travail, une gouvernante chaleureuse et cultivée, veillait sur moi depuis ma petite enfance. J'y étais attachée mais, bien qu'elle parlât souvent avec moi de divers sujets concernant la vie, il lui était difficile de comprendre mes peines et mes doutes. Un jour où je me sentais particulièrement "moche", et où je tentais de lui en glisser quelques mots, je reçus pour toute réponse cette phrase :

"Carole comment peut-on se plaindre quand on possède, la richesse, la beauté et l'intelligence. Regardez les personnes autour de vous, la pauvreté, la misère sont le lot de la plupart, comment pouvez-vous être malheureuse !"

Quelque part, une partie de moi pensait qu'elle devait avoir raison et que j'étais bien égoïste de me plaindre mais, ma peine était bien là et j'avais mal. Depuis ce jour, je n'avais plus osé me plaindre et nous n'avions plus jamais abordé le sujet de mes "soi-disant" souffrances d'adolescente trop gâtée.

Les journées s'écoulaient pour moi dans le luxe et la mélancolie. Un jour, cependant, j'eus la sensation que la vie m'apportait une perspective différente sans trop savoir pourquoi. L'amour pénétrait enfin dans mon univers sous le visage d'un grand garçon brun, élève dans mon lycée et propriétaire d'une superbe moto. Il s'appelait Tom.

Cette fin d'après-midi, je me souviens encore qu'il m'avait proposé d'essayer sa moto et j'étais très excitée à cette idée.

J'étais collée tout contre lui et je sentais le vent qui jouait dans mes cheveux.

Amoureuse de lui et de la vitesse qui me donnait la sensation de vivre intensément, j'exultais… C'est alors que ma vie prit un tournant inattendu par l'intermédiaire d'une voiture bleu marine dont la conductrice préoccupée et distraite venait, avec une inconscience meurtrière, de brûler le stop.

J'eus à peine le temps de sentir un choc et puis, plus rien… le noir. J'entendais par bribes des paroles lointaines qui loin de m'apaiser m'exaspéraient :

"Je suis désolée disait une voix de femme qui pleurait, tout est de ma faute, je n'ai pas vu le stop… Désolée… Désolée."

Je n'arrivai pas à ouvrir les yeux, je ne pouvais bouger aucune partie de mon corps que je ne sentais même pas et dans ma tête confuse, j'imaginais le pire.

"Maladroite et handicapée", voilà ce que j'avais toujours été.

Lorsque je me suis réveillée, j'étais dans une chambre pleine de fleurs, mes parents étaient là avec une femme habillée de blanc, infirmière ou médecin, je ne savais pas. Ils me souriaient tandis que j'attendais avec anxiété que quelqu'un me parle, me dise ce qui s'était passé, comment j'allais et où était mon ami.

J'avais tellement peur que je n'osais ni bouger, ni parler de crainte de m'apercevoir que j'étais paralysée. Je ne me souvenais de rien d'autre que de cette moto et du choc.

Mon père fut le premier à percevoir ma détresse :

"Ma chérie, ce n'est pas trop grave, fort heureusement. Tu vas en avoir pour quelque temps de rééducation, nous verrons cela plus précisément avec les spécialistes. Le pied gauche surtout a été touché, mais tu ne garderas presque pas de séquelles de ce terrible accident. La moto de Tom est fichue. Nous avons tellement eu peur lorsque nous avons appris ce qui s'était passé." »

Carole est un peu rassurée, mais au fond d'elle une angoisse perdure sans qu'elle puisse y mettre de mots. Elle ne parvient pas à savoir pourquoi le discours rassurant de son père ne parvient pas à la tranquilliser totalement. Elle sent qu'on lui cache quelque chose.

Et Tom, que lui est-il arrivé ?

Lorsqu'elle ose enfin poser la question et qu'elle voit la tristesse se peindre sur les visages, elle a vite fait de comprendre :

Tom est mort !

Carole sent la vie la quitter une nouvelle fois.

« Pourquoi lui ? il aimait tellement la vie… » se dit-elle en gardant comme un secret ce désespoir qui désormais la ronge. Elle se sent impuissante, tellement impuissante. En elle, la colère et la tristesse se confondent. Le calmant qui lui est administré va apaiser son corps quelques heures tandis que son âme crie de désespoir au fond de son lit d'hôpital. En cet instant, elle déteste la Vie.

Le nom de Tom, depuis ce jour, était devenu tabou et le grand absent de toute conversation, sans que la peine de Carole diminue pour autant.

Les mois passent tandis que Carole suit des cours de rééducation pour que tout son côté gauche reprenne vie. Avec l'aide de la kinésithérapeute attentive et aimante, les différentes parties du corps de Carole retrouvent peu à peu leurs fonctions.

Seule subsiste une légère claudication qui la gêne parfois lorsqu'elle se fatigue plus qu'elle ne le devrait.

La veille elle avait eu rendez-vous avec le spécialiste qui, sans ménagement, lui avait annoncé qu'elle garderait ce handicap à vie, seule séquelle de ce grave accident.

« Une claudication légère, avait-il ajouté, si légère que personne ne s'en apercevra. »

Il semblait heureux de lui annoncer qu'elle ne s'en tirait, après tout pas si mal sans s'apercevoir qu'il venait en cet instant, de prononcer, sans en avoir la moindre conscience, la condamnation à mort de sa patiente.

Carole, très pâle, n'avait rien répondu et était sortie de l'hôpital, accompagnée de ses parents qui, devant cette soudaine pâleur, la regardaient sans comprendre ce qui lui arrivait.

Elle venait en un instant de perdre tout espoir de devenir danseuse…

Lentement, Carole s'enfonçait dans un univers qui n'avait plus aucun sens.

Ses parents cherchaient vainement à la faire parler. La jeune fille ne voulait plus parler ni même manger. Ses parents au comble de l'inquiétude avaient fait appel aux meilleurs spécialistes et psychothérapeutes. Carole ne voulait plus vivre.

Elle avait décidé de mettre fin à ses jours et rien ne l'en empêcherait.

C'est dans l'armoire à pharmacie de sa mère qu'elle trouva la solution : des petites boîtes de somnifères s'alignaient devant elle, bien rangées et attirantes. Sa mère, parfois anxieuse, se faisait prescrire régulièrement ces cachets de peur d'en manquer lors de l'un ou l'autre de ses déplacements, bien qu'elle n'en prenne qu'occasionnellement. Les gélules roses et blanches porteuses d'oubli glissaient à présent, facilement dans la gorge de Carole, tandis qu'elle savourait le moment où le cauchemar qu'était devenue sa vie allait enfin s'arrêter... ou du moins, c'est ce qu'elle pensait. Tout lui semblait simple et la mort, en cet instant, ne lui paraissait pas dramatique, bien au contraire.

Elle eut tout juste le temps de regagner sa chambre en titubant comme si elle avait trop bu. Un brouillard opaque s'interposa entre elle et le lit puis, plus rien... Juste une spirale sombre, dans laquelle la jeune fille se sentait aspirée sans aucune possibilité de contrôle...

Carole venait tout juste de sortir de son corps et regardait à présent, épouvantée ce corps sans vie qui gisait sous elle.

Un corps long et presque maigre était allongé là en travers de son lit et semblait avoir perdu toute lumière, toute consistance.

Brutalement, un éclair de lucidité la traversa : elle se

rendit compte que ce corps était à elle. Elle ne voulait surtout plus mourir. Elle voulut hurler :

« Venez, venez vite, je ne veux pas mourir, j'ai peur, j'ai très peur, papa, maman, sauvez-moi ! »

Seul le silence lui répondit. Dans la grande maison endormie, personne ne semblait l'entendre.

Désespérée, Carole se précipita chez Mademoiselle, sa gouvernante. Elle la secoua, lui cria de venir et de la sauver :

« Je suis trop jeune, je ne veux pas mourir » suppliait-elle tandis que sa main passait à travers le corps de Mademoiselle qui se retourna et s'endormit à nouveau.

« Au secours, au secours ! » hurla-t-elle du haut des escaliers.

Quelqu'un semblait enfin l'avoir entendu, elle perçut un bruit qui ressemblait à des pas venant de la cuisine, Carole reprit espoir tandis qu'elle surveillait anxieusement celui ou celle qui arrivait enfin.

Qu'elle ne fut pas sa surprise de voir Lou, son gros labrador noir qui accourait sans hésitation à sa rencontre.

Carole resta bouche bée.

Il était là, il la voyait. Avec ses grands yeux plein de bonté, il la regardait même d'une étrange façon, il la fixait, comme s'il voulait comprendre et tout à coup, il grimpa les escaliers et se mit à gratter avec force à la porte de la chambre des parents de Carole.

Ce gros chien aux yeux tendres était, en cet instant, son seul espoir.

« Qu'est-ce qui t'arrive, Lou, ça n'est pas une heure pour venir nous réveiller » grogna le père de Carole, tiré brutalement de son sommeil. Devant l'attitude insistante de son chien, il passa une robe de chambre et ouvrit la porte.

Lou, sans l'ombre d'une hésitation se dirigea vers la porte de la chambre de Carole, suivi du père qui semblait enfin comprendre.

La jeune fille se colla sur le dos de son père : « Jésus ou Dieu, faites qu'ils arrivent à temps » pria-t-elle sans savoir que faire d'autre.

« Papa, ne me laisse pas mourir… »

L'ambulance est en route vers la maison, Mademoiselle s'est montrée la plus efficace tandis que les parents de Carole semblent démunis et complètement anéantis. La gouvernante tente en vain de faire vomir Carole…

« Pourquoi les secours mettent-ils autant de temps ? » s'impatiente Carole.

La jeune fille hors de son corps regarde le médecin qui, enfin là, s'active. Elle capte ses pensées et le remercie du fond du cœur. Ses gestes sont précis, il sait ce qu'il faut faire. Lorsqu'il se lève enfin, c'est avec beaucoup de compassion qu'il regarde les parents :

« C'est trop tard, je ne peux plus rien pour elle, je suis vraiment désolé. »

Tout en disant cela, il pense à ses propres enfants, adolescents eux aussi et les cris désespérés des parents de Carole et de Mademoiselle lui sont insupportables.

« Je fais le nécessaire ajoute-t-il maladroitement… je comprends ce que vous éprouvez, moi aussi j'ai des enfants. »

Le père de Carole raccompagne le médecin tandis que Carole le suit complètement anéantie, elle aussi.

« Je suis morte et je ne peux même pas consoler mes parents, ni crier ma détresse, ni dire que je suis vivante puisque je suis là.

Mon Dieu, que je suis mal, comme je me sens stupide, papa, maman, pardonnez-moi cette peine qui est la vôtre et que je n'ai pas voulue. Pas un instant je n'ai pensé à vous c'est vrai et maintenant, je ne veux pas mourir... Je ne veux plus, je ne veux pas... Je veux vivre. »

Les cris de Carole se perdent dans un infini sans écho et que personne n'entend. Seul Lou, le chien s'approche d'elle comme pour la consoler et lui dire qu'il la voit et sait où elle est.

« Trop tard, je suis morte et pourtant je suis là... que vais-je faire maintenant ? »

Carole sent le désespoir l'envahir à nouveau. Un désespoir immense, sans espoir de fin cette fois, le désespoir d'avoir raté quelque chose d'important. Ses pensées sont confuses :

« Je ne peux même pas mettre fin à ce nouvel état, je pense encore, je vis et je ne peux pas mettre fin à cette souffrance qui m'habite. Que vais-je devenir ? »

Un nouveau sanglot s'échappe de la jeune fille.

La tristesse règne maintenant autour de son corps et dans la maison.

« Coupable, je me sens tellement coupable ! »

Carole erre dans la maison sans voir que le temps passe. L'enterrement a eu lieu et elle est toujours là à ne pas savoir que faire.

Personne ne la voit et la peine de tous ceux qui l'aiment l'atteint étrangement au cœur de son âme.

Carole capte les pensées qui lui parviennent des uns et des autres :

Son père pense qu'il aurait dû agir plus vite et faire soigner sa fille plus tôt. Sa mère se reproche de ne pas avoir passé assez de temps auprès de cette jeune beauté grandissante et Mademoiselle regrette d'avoir jugé que les enfants riches n'avaient pas le droit de se plaindre.

Son professeur de français se dit aussi qu'il aurait pu deviner ce malaise à travers l'attitude de Carole en classe.

Sa meilleure amie s'en veut d'avoir un peu délaissé Carole depuis son accident, mais elle avait tellement changé que la communication était devenue difficile.

La jeune fille se sent terriblement impuissante à leur dire qu'elle les aime et que son malheur ne vient pas d'eux.

« Comment ai-je pu ignorer tous ces gens qui m'aimaient et que je ne voyais plus, tant j'étais occupée par moi-même ? »

Le temps passe sur terre et Carole est désormais dans un monde brumeux et sombre, le monde de ses remords, de ses doutes, de ses peurs. Elle reste là recroquevillée en attente d'un « je ne sais quoi » qui puisse la sauver de cet univers sans lumière.

« Qu'ai-je fait ? » reste la question qui l'obsède.

Dans la spirale sombre dans laquelle elle tourne sans fin, aux prises avec ses ombres, Carole sent un jour, ou peut-être une nuit, une main qui la touche, descend le long de son bras la saisit et la tire vigoureusement vers ce qu'elle ressent comme étant le haut de son monde. Carole n'oppose aucune résistance, tout est préférable à cette « prison mentale » dans laquelle elle s'est désormais enfermée.

Dans ce qui subsiste d'elle, elle ressent avec étonnement, un peu de lumière, un peu de chaleur.

« D'où viennent-elles ? » et tandis qu'elle s'interroge, ses yeux commencent à percevoir la silhouette de celui ou de celle qui l'emporte ainsi.

100

Tous deux s'arrêtent enfin, tandis que l'étreinte se desserre. Carole pousse une exclamation joyeuse :

« Grand-père, c'est toi, mais qu'est ce que tu fais ici ? »

Le grand-père sourit tandis que Carole perçoit bientôt sa grand-mère et Tom. Elle explose de joie tandis que son grand-père lui répond :

« Nous t'avons cherchée et j'ai eu beaucoup de difficultés à te retrouver parmi les méandres de ton âme. Tu t'étais enfermée dans les brumes opaques et pernicieuses de tes émotions et il m'a fallu du temps avant de réussir à traverser les couches de ton univers. »

Carole court de l'un à l'autre comme une petite fille joyeuse. Tom la prend par les épaules et tous les quatre se dirigent à travers une nature abondante vers un bâtiment qui semble fait de cristal.

À travers un dédale de couloirs aux murs vivants, ils accèdent à une salle ronde où des fauteuils les attendent.

« Tu vas maintenant faire le point sur tes vies Carole. Il est plus que temps car ta nouvelle incarnation approche. »

Carole ne comprend pas tout, mais accède volontiers à cette proposition. Elle sait simplement qu'elle va avoir accès à des vies qu'elle ne soupçonne même pas et qu'un retour sur terre se prépare. Elle a eu le temps de réfléchir dans sa prison mentale et maintenant elle se prépare à toute éventualité.

Les vies défilent et Carole en a le souffle coupé :

C'est elle, ce kamikaze Japonais, qui met fin à ses jours plutôt que d'être fait prisonnier. C'est encore elle, cette mère de famille dépressive qui se suicide après le départ de son mari. C'est elle aussi ce prisonnier qui se suicide en prison où il est condamné pour un crime qu'il n'a pas commis.

Elle voit comme une évidente répétition, ces vies qui défilent et qui toutes lui disent :

« Tu n'as pas encore passé l'épreuve, celle où tu te libéreras enfin de cette répétition pour avancer et passer à une autre étape de ton histoire. Tu vas recommencer parce que ton âme le veut et sait que l'on ne peut échapper à soi-même. »

La jeune fille ne dit mot et, dans le silence de son cœur, elle accepte. Une main sur son épaule la réconforte, elle sait que c'est celle de Tom et qu'il a compris. Il murmure :

« J'ai été le mari qui est parti et pour lequel tu t'es suicidée. Je suis revenu pour qu'ensemble nous puissions retisser une nouvelle histoire de départ. Je reviendrai encore à tes côtés et cette fois nous réussirons. »

Carole, toujours immobile, sait qu'une autre vie doit encore se montrer, celle qu'elle aurait pu avoir si…

Des scènes défilent : ses parents sont plus âgés, toujours aussi beaux et sereins. Elle arrive dans le parc de leur villa au volant d'une belle voiture de sport, elle est devenue une actrice adulée et riche et qui plus est amoureuse d'un écrivain prêt à tout pour qu'elle soit heureuse.

Plus tard, elle met son talent et sa notoriété au service des plus démunis et crée un mouvement de solidarité qui durera bien après sa mort.

Tout à coup, tout change… Elle a mis fin à sa vie et a modifié ainsi le cours du scénario qui devait se jouer sur terre si…

Sa mère est devenue dépressive et, sous calmants, elle travaille de moins en moins tandis que son père est peu présent, toujours amoureux de sa femme mais impuissant à guérir sa douleur.

La chambre de Carole est devenue un sanctuaire où personne ne peut entrer. Sa mère seule y passe des heures à prier devant les photos et les vêtements de sa fille.

Mademoiselle n'a plus d'emploi et se morfond comme femme de ménage chez un couple d'anciens amis.

Les parents de Carole vieillissent mal, seuls et sans amis, toujours unis mais tellement tristes.

Carole pleure. Elle mesure avec effroi les conséquences de son acte non seulement sur elle mais aussi sur tous ceux qui l'entourent et avec lesquels elle avait fait un contrat de vie pour jouer une pièce qu'elle a interrompu avant que le rideau ne soit baissé et que les acteurs aient salué. La peine la submerge et resserre son étreinte. Elle étouffe :

« Que vont devenir ceux que j'aurais pu aider et l'amour qui m'attendait ? demande-t-elle entre deux sanglots

— D'autres lignes de vie se mettront en place pour eux cependant, tu as rompu le contrat qui vous était commun et tu ne pourras échapper non seulement à ton histoire mais aussi à celle qui te relie à eux. »

C'est la grand-mère de Carole qui a pris la parole. Elle explique, sans que dans sa voix ne paraisse l'ombre d'un reproche :

« Dans ta vie prochaine, tu aideras ceux dont le chemin s'est modifié par ton acte et tu auras encore une fois la tentation de te donner la mort avec toutes les possibilités de passer à travers l'épreuve. Cette fois, tu devras réussir…

— Cette fois, je réussirai répète Carole, je veux m'incarner rapidement et faire ce que j'ai à faire au mieux. » La jeune fille est déterminée.

Carole me regarde maintenant avec ce regard lumineux que je rencontre souvent chez ceux qui ont compris ce que la Vie attend d'eux et surtout ce qu'ils attendent d'eux-mêmes.

À ce moment précis, en bas, sur terre, dans un quartier pauvre de la grande ville où vivait Carole autrefois, une femme vient d'apprendre qu'elle est encore enceinte. C'est la quatrième fois en quatre ans et la nouvelle ne semble pas la réjouir.

« Pourvu qu'au moins ce soit un garçon cette fois » se dit-elle.

Carole me regarde et ses derniers mots sont remplis de tendresse :

« Ce sera ma mère et je serai sa quatrième fille et pas la dernière. Je sais que ma vie ne sera pas facile, j'en ai vu quelques pans. Et pourtant cette fois j'accepte intégralement tout ce que j'attirerai à moi. J'ai enfin compris que, peu importe le rôle que nous avons sur cette Terre. Je veux simplement être une bonne actrice et faire de mon mieux avec les nouvelles cartes que je me suis données.

C'est un leurre de croire que tout s'arrête parce que le corps n'est plus. Je l'ai vécu tant de fois sans comprendre… Cette fois je veux trouver en moi la Paix, la Force, non pas, selon les circonstances extérieures qui ne sont que passagères et illusoires mais, dans cette partie de moi, sereine et immuable, quoi qu'il arrive.

J'ai la sensation de paraître bien philosophe, pourtant ce n'est pas une histoire d'intellect mais, simplement, très simplement une histoire d'Amour avec la Vie, avec moi, avec ces autres qui sont aussi des parties de moi et dont j'ai ressenti les souffrances comme si elles m'appartenaient. »

Je sais que ma rencontre avec Carole se termine ici. Au fond de moi, cette longue fille a déposé un germe d'espoir et de paix que je ne pensais pas trouver là et dans le dernier regard qu'elle m'offre, je vois un millier d'étoiles qui scintillent.

ENSEIGNEMENTS

« Dis aux humains de la Terre :

Tout être, jeune ou vieux, homme ou femme, riche ou pauvre est à la recherche du bonheur.

Mais qu'est-ce que le bonheur ?

Chacun a bien évidemment une définition différente du bonheur, mais dans sa quête incessante du mieux, il perd sa route vers l'Absolu.

Cloisonné dans sa réalité, enfermé dans la prison de son mental inférieur, il oublie d'ouvrir la porte vers de plus vastes horizons...

Ceux qui précisément lui permettraient de respirer l'infini des mondes où l'impossible n'a aucune existence.

Carole n'a vu qu'un aspect de son histoire sans percevoir les liens qui l'unissent à ceux qui participent ou devaient participer à sa vie. Par son suicide, elle ne fait pas simplement un détour mais elle entraîne dans sa suite tous ceux qui lui sont liés de près ou de loin.

Peu sont ceux qui peuvent imaginer les liens subtils qui nous relient à des êtres dont nous ne soupçonnons même pas l'existence.

Enfermés dans leur monde, ils en oublient leur contrat de vie et tous ceux qui y étaient reliés.

La vie apportait à Carole, comme pour chacun des humains, les événements qu'elle était en mesure de dépasser et d'intégrer pour accéder à une autre dimension de son histoire personnelle.

Dis bien que, rares sont ceux qui choisissent une vie qu'ils ne peuvent assumer jusqu'au bout. L'orgueil peut faire en sorte que le futur réincarné se mette des pierres sur le chemin, plus imposantes que ce que la sagesse de la voie du milieu aurait pu lui proposer. Que cela, cependant ne soit pas un nouveau prétexte de fuite.

Le choix ultime n'est pas dans les événements extérieurs à celui ou celle qui les vit mais dans la manière dont il ou elle va les comprendre, les aborder et enfin les transcender.

Faire de l'obstacle ou de ce qui est considéré comme tel, un tremplin, voilà la Liberté d'Être.

Ce qui arrive n'a que l'importance qu'on lui donne. La Force siège en chacun, à lui de la recontacter pour que ce qui est appelé "épreuve" soit une marche vers la Lumière. »

Timmy le Métissé

« *VOUS NE POUVEZ PAS ARRÊTER LES VAGUES*
MAIS VOUS POUVEZ APPRENDRE À SURFER. »

— Joseph Goldstein

Timmy se présente à moi, vêtu d'un jean trop grand et d'un pull-over beige d'une taille largement au-dessus de la sienne qui est d'environ un mètre soixante-dix.

Ses cheveux noirs, épais et raides tombant sur ses épaules lui donnent un air de jeune poète. Avec ses dix-huit ans et ce physique mélange d'Orient et d'Occident, je me prends à penser qu'il ne devait pas laisser indifférent.

La douceur apparente, qui émane de sa personne, est atténuée par un regard que la Force semble habiter.

« Doux, c'est l'apparence que je donnais sur terre, simplement parce que je croyais ne pas avoir le choix d'être moi-même. »

Son entrée en matière est directe et sans détour, il continue :

« La Force, je l'ai reprise sur ce plan intermédiaire de l'âme. Mon histoire est en fait assez simple comme toutes les histoires de vie que l'on imagine toujours complexes lorsque ce sont les nôtres.

Je suis né d'un viol entre un soldat américain et une jeune femme vietnamienne. Lorsque ma mère s'est retrouvée enceinte de moi elle aurait voulu avorter car ce ventre rond lui rappelait sans cesse l'horreur de la nuit qu'elle avait vécue.

Trois ou quatre soldats, avant de rentrer chez eux, alors que la guerre était enfin finie, ont voulu profiter de leurs dernières heures sur le sol où ils avaient tant souffert eux aussi et elle servit d'exutoire, comme tant d'autres femmes et jeunes filles du pays.

Elle avait 15 ans alors et ne savait pas lequel, parmi ceux qui avaient abusé d'elle, pouvait être mon père.

Sa famille, très croyante, voulait qu'elle garde l'enfant, pensant que tout irait mieux par la suite. Elle était trop jeune pour prendre une décision contraire à ses parents et il faut croire que je voulais vivre absolument.

Lorsque je suis né, mes grands-parents et mes oncles et tantes m'accueillirent comme l'un des leurs, mais ma mère ne me regardait pas. Ce sont mes grands-parents qui ont commencé à m'élever, mais lorsqu'ils me laissaient à ma mère pour qu'elle s'habitue à ma présence, le pire arrivait toujours.

Elle-même ne savait pas ce qui se passait en elle mais plus elle me voyait et plus elle me détestait. Elle revivait à travers moi sa nuit de cauchemar qu'elle aurait tant voulu oublier. J'étais là devant elle comme le rappel de sa souffrance.

Alors, dans son désespoir, quand elle était seule avec moi, elle me faisait souffrir comme si je devais payer pour tous ces hommes qu'elle détestait.

Elle m'enfermait souvent, seul dans un endroit étroit et

sombre, jusqu'à ce qu'elle ait fini ses tâches ménagères et je ne disais rien. J'avais seulement très peur et je n'osais rien dire mais, dans mon placard, je pleurais tellement longtemps que je finissais par m'endormir écroulé de fatigue. D'autres fois, elle me battait sans que je sache pourquoi et souvent, ce qu'elle me faisait, laissait de petites marques bleues et douloureuses sur ma peau.

Je ne comprenais pas pourquoi elle faisait ça. Je savais simplement que lorsqu'elle était très en colère, une ombre, toujours la même se collait à elle et peu à peu faisait changer son regard et même la couleur de ses yeux. J'avais alors une peur si intense que je tremblais de tous mes membres et que mon ventre se tordait sous la douleur. Ma seule certitude était qu'elle ne voulait pas de moi et que je ne pouvais rien changer à cela.

Pour m'échapper, dans ma petite tête d'enfant, je me distanciais par je ne sais quel mécanisme, afin de ne plus m'identifier à celui qui souffrait.

Une partie de moi rêvait qu'elle volait vers des mondes imaginaires, ce qui m'aidait à supporter la partie de moi qui souffrait et qui avait peur.

Je ne supposais pas, à ce moment-là, qu'il pût exister d'autres rapports entre enfant et parents et je pensais naïvement que, pour moi, dans tous les cas, ce ne pouvait être que comme ça.

Ma seule sortie était avec mes oncles et tantes ou avec mes grands-parents, lorsqu'ils allaient prier au temple. L'or qui recouvrait les statues de Bouddha, les grands vases où les bâtons d'encens laissaient s'échapper de longs rubans gris de fumée odorante, les boiseries rouges peintes de figures étranges, les hommes et les jeunes garçons vêtus de robes safran, me réjouissaient et j'oubliais durant quelques instants mes souffrances. J'apprenais ce que tout cela signifiait lorsque l'un ou l'autre de mes accompagnateurs voulait bien me donner des explications mais, je ne demandais jamais rien. Peut-être que, au fond de moi, je craignais que ces sorties, qui étaient ma seule distraction, ne s'arrêtent si je me montrais trop avide de réponses. Je ne voulais troubler personne par ma présence que je faisais la plus discrète possible.

Ma mère repassait du linge pour gagner un peu d'argent et ce jour-là, j'étais là assis non loin d'elle, avec un petit jouet en boîte de conserve que je faisais tourner et rouler comme un avion. Je m'amusais à imiter le bruit de l'avion et les "vroum vroum" retentissaient dans la petite pièce lorsque tout à coup je sentis la présence de ma mère, une présence étrangère et effrayante. J'eus à peine le temps de la percevoir, elle était là, le fer à repasser à la main et le regard vide. Quelque chose d'étrange se passait que je ne comprenais pas. Je me mis à hurler. Une brûlure atroce déchira le haut de mon crâne puis plus rien… des cris, rien que des cris, les miens sans doute et ceux d'autres personnes… je m'envolai vers mon univers imaginaire pour cesser de souffrir.

À la suite de cet événement, quelque chose en moi disparut, peut-être l'espoir d'être aimé… Je me sentais coupable d'exister. Sur ma tête, une marque blanche resta gravée, seul signe visible de mon enfance. Je fus soigné par mes grands-parents puis, un jour, sans revoir ma mère, ils me conduisirent dans une grande maison où des femmes avec de longues robes blanches, différentes de celles que je connaissais, me prirent ou plutôt m'arrachè- rent sans ménagement aux bras de ma grand-mère qui, me serrait très fort contre elle.

112

Mes grands-parents s'en allèrent sans un mot, sans une larme. Sans doute avaient-ils appris à cacher leurs émotions durant toutes ces années de restriction et de violence, c'est du moins la conclusion à laquelle j'aboutis des années plus tard.

J'avais trois ans et je ne savais pas encore ce que le mot "abandon" voulait dire, mais j'avais au fond de moi la certitude que je ne reverrai plus jamais ma famille.

Moi non plus je ne pleurais pas, aucun son ne sortait de moi, rien, je ne ressentais rien d'autre que le vide. J'étais absent à toute douleur, une porte en moi venait de se fermer, derrière laquelle je ne ressentais plus rien, je pourrais dire aujourd'hui que j'étais anesthésié.

Des mois s'écoulèrent, j'étais seul, ne sachant pas comment faire pour aller vers les autres enfants comme moi en souffrance, je préférais rêver.

"Les sœurs", comme on les appelait, faisaient leur travail et s'occupaient de nous sans tendresse mais avec une notion du devoir qui nous donnait à penser que nous étions en sécurité. L'insécurité avait été le lot de chacun des nombreux enfants de cet orphelinat de fortune et nous étions tous à notre façon des petits êtres prêts à tout pour avoir de quoi manger et dormir. Avant de prendre chaque repas, nous devions joindre les mains et répéter des mots dont nous ne comprenions pas le sens devant un homme suspendu sur une croix et qui paraissait lui aussi souffrir. J'avais cru comprendre qu'il était mort après avoir beaucoup souffert à cause de nous et je n'osais plus regarder dans sa direction tant je me sentais coupable. La croix et cet homme étaient gigantesques et prenaient tout le mur de la salle où nous mangions. Il m'était difficile de l'éviter et parfois, dans mes nuits agitées, je revoyais l'homme qui souffrait à cause de moi.

Le soir dans le dortoir nous disions encore quelques mots pour lui avant de nous endormir. J'aimais ces moments de "prière" qui me donnaient la sensation de racheter une faute qui devait être grave mais dont je n'avais aucune idée.

Nous n'avions pas d'autres explications car les "sœurs" avaient beaucoup à faire et peu de temps pour nous parler.

Certains d'entre nous essayaient de se rendre utiles, espérant obtenir ainsi des grâces supplémentaires de la part des religieuses. D'autres nous faisaient rire ou imaginaient n'importe quoi pour qu'on les remarque enfin, quant à moi, je me faisais le plus invisible possible.

Je réussissais tellement dans cet art de l'invisibilité que je me souviens d'une fois où une sœur plus jeune que les autres me chercha du regard durant un long moment, tout en m'appelant alors que j'étais juste à côté d'elle.

Je ne posais pas de problèmes et personne ne s'inquiétait de moi. Seule une douleur fulgurante survenait parfois à l'improviste dans le haut de ma tête et rien ne pouvait la calmer. Elle disparaissait ensuite, comme elle était venue, mémoire fidèle de mon martyre que j'essayais en vain d'oublier.

Le printemps arrivait sur notre pays et nous grandissions comme nous le pouvions. Beaucoup parmi nous souffraient de malnutrition et parfois l'un de nous mourait. C'était dans l'ordre des choses et les sœurs nous disaient qu'il allait maintenant se trouver auprès de l'homme qui était sur la croix. Elles avaient l'air de trouver cela réjouissant, mais moi j'avais très peur. C'est pourtant ce matin-là, où je rêvais en regardant le seul arbre en fleur de la cour que je vis arriver un homme et une femme.

Ils étaient blancs de peau et leurs yeux étaient grands.

La sœur la plus âgée, celle qui avait le plus de plis sur le visage, celle qui donnait des ordres, vint elle-même me chercher. J'étais là sur les marches en train de regarder les nouveaux venus, comme la distraction de la journée.

"Viens Thien, tu vas partir avec ces deux personnes et tu vas voir comme tu seras heureux."

Heureux ? Je ne savais pas ce que ce mot signifiait mais à l'intonation de la sœur, je compris que quelque chose de bien m'arrivait et que j'allais enfin sortir de cet endroit.

Le monsieur se pencha vers moi et me dit quelques mots dans ma langue :

"Sois le bienvenu jeune homme, tu vas venir avec nous et tout va être mieux maintenant".

Il prononçait ces mots avec un accent tel, que j'avais très envie de rire.

Tandis qu'il parlait avec la sœur plus âgée, la femme se pencha vers moi, sans doute pour me prendre dans les bras. J'eus un mouvement de recul, de peur, mais la douceur de sa voix et son sourire me firent peu à peu revenir vers elle. Je ne comprenais pas ce qu'elle disait mais je savais que c'était bien pour moi.

Je pris l'avion pour la première fois de ma vie. J'avais presque quatre ans et je sentais que je m'envolais vers un univers où cette fois la peur allait enfin me quitter.

Les premiers temps de découverte de mon nouveau monde, je ne pensais plus à ma peur, à mon insécurité chronique, et surtout à ma culpabilité de vivre. Tout me paraissait à la fois étrange et beau. Je grandissais dans un monde chaleureux au milieu d'autres frères et sœurs adoptés comme moi et sous l'œil bienveillant et aimant de mes parents. Seule la douleur dans le haut de ma tête revenait parfois et avec une telle violence que dans ces moments-là je souhaitais presque mourir, sans savoir exactement ce que cela voulait dire.

Nous étions quatre enfants issus de pays très différents, tous avec des histoires douloureuses. Avec nos parents, nous apprenions que celui qu'ils nommaient Jésus ne considérait ni la couleur de la peau, ni la richesse ou la pauvreté, ni le pays d'où nous venions, pour nous aimer. Nous étions tous égaux à ses yeux et nous avions de la valeur. Nous allions régulièrement dans un lieu de culte où nous chantions et priions pour que la paix soit dans nos cœurs et sur Terre. Je comprenais enfin qui était cet homme cloué sur une croix... mais ma culpabilité terrée en moi et que je ne sentais plus, continuait sournoisement à me détruire.

Mes pensées, mes gestes, mes croyances ne m'accordaient aucune indulgence. Je pensais, sans en être conscient, que j'étais mauvais et que je ne méritais pas de vivre ni d'être heureux.

Nous allions tous à l'école avec plus ou moins de succès dans notre scolarité, mais cela ne semblait pas nous retirer l'affection de nos parents. Je grandissais sans plus de problèmes que d'autres enfants et devins bientôt un adolescent qui ne laissait pas indifférent. Je le savais car je lisais l'attirance dans le regard de quelques-unes des plus jolies filles de ma classe.

J'aurais pu être heureux mais, tout au fond de moi, une petite voix que je ne pouvais faire taire ne cessait de me dire :

"Tu es inutile, ta vie ne sert qu'à faire souffrir les gens que tu aimes... tu ne mérites pas de vivre."

Ma timidité m'encombrait et je refusais les propositions

de sorties, non par manque d'envie mais par peur de ne pas être à la hauteur des attentes que je croyais lire dans les regards et surtout par peur de faire souffrir.

C'est alors qu'un garçon de ma classe, un élève plus âgé et qui avait l'art de distraire les élèves aux moments les plus inattendus me fit une proposition:

"Je vais te donner un truc que je prends régulièrement pour être au top. Tu verras c'est super, mais surtout n'en parle à personne, c'est un secret entre nous."

J'avais quinze ans et j'admirai l'assurance de ce garçon sans m'apercevoir qu'elle était inversement proportionnelle à sa réussite scolaire.

Le premier "joint", puisqu'il le nommait ainsi, je le fumai dans les toilettes. Il me fit effectivement l'effet d'une bombe. Après quelques minutes où je ne sentis rien de particulier, je commençai à ressentir en moi une confiance et une énergie inhabituelles. Les discours du professeur me paraissaient plus clairs qu'à l'habitude, je comprenais tout ce qu'il disait. À la fin du cours, j'étais un surhomme, plein de confiance et prêt à tout. Mes inhibitions s'étaient évaporées d'un coup.

Au début de mes expériences, mes parents ne s'aperçurent de rien car je pouvais me contrôler, mais plus le temps passait, plus j'avais besoin de fumer cette herbe qui, je le croyais, m'aidait enfin à être moi-même. Je parlais davantage, mais lorsque j'en manquais, mon humeur changeait et je devenais maussade. Je passais d'un excès à l'autre, ce que mes parents mettaient sur le compte de l'adolescence. C'était aussi, la seule substance qui calmait ma douleur dans la tête lorsqu'elle me submergeait.

Lorsque mon "ami" me proposa d'essayer ce qui allait m'amener, disait-il, au "septième ciel" sans effort, je ressentis en moi comme une barrière à ne pas franchir. Il était cependant trop tard. Je n'arrivais plus à me sentir moi-même sans ce substitut qui m'empoisonnait lentement. J'avais de plus en plus de mal à étudier et à maintenir mon attention longtemps. Mes notes autrefois brillantes déclinaient et mon argent de poche n'y suffisait plus...

J'arrivai ainsi à mes dix-huit ans avec des prouesses sexuelles notoires et des nuits sans sommeil. Le reste de ma vie était un fiasco.

Mes parents le comprirent lorsqu'ils furent convoqués par le conseil de mon lycée pour une histoire de drogue.

J'étais avec eux devant le bureau du proviseur et je ne voyais que leur visage qui changeait au fur et à mesure de ce qu'ils entendaient : les professeurs étaient inquiets, j'étais gentil mais inadapté au système en vigueur et mes notes étaient au plus bas. J'étais absent à de nombreux cours et les explications que je donnais n'étaient pas crédibles.

J'aurais voulu être loin, si loin, j'aurais voulu disparaître pour ne pas voir leur peine, mais, je n'avais plus la volonté de changer et plus je me sentais coupable, plus je me montrais agressif à leur égard.

Pour être tranquille et leur faire plaisir je leur promis d'arrêter, tout en sachant que ce serait impossible. Je mentais, je volais parfois et je ne savais plus comment m'en sortir. Plus mes frères et sœurs essayaient de m'aider, plus je me sentais minable et plus je les agressais, eux aussi, sans qu'ils comprennent pourquoi.

La vie de famille devenait un enfer et je demandai à mes parents de me louer une chambre plus près de mon lycée. Ils le firent par souci de tranquillité pour mes autres frères et sœurs plus jeunes et aussi parce qu'ils voulaient me faire confiance. Je savais que c'était ma dernière chance et qu'ils envisageaient l'internement dans une maison spécialisée pour les drogués si rien ne changeait.

Mon père m'avait demandé de me faire aider par une équipe de psychologues. J'avais accepté, tout en sachant que je n'en ferais rien. Je n'étais sans doute pas encore descendu assez bas pour avoir envie d'arrêter vraiment.

Je me sentais coupable, mais plus ce sentiment m'envahissait et plus je m'échappais dans la drogue. Mes "voyages" n'étaient pas toujours lumineux, loin de là. Je ne contrôlais rien et de plus en plus je me retrouvais dans des univers sombres où des personnages aux visages déformés apparaissaient et cherchaient à me détruire. Je rentrais alors brutalement dans mon corps physique, transpirant de peur, aidé par d'autres jeunes qui, comme moi, avaient cru trouver refuge et oubli dans ces substituts.

Je devenais de plus en plus inadapté à la vie sur Terre et rien ne m'intéressait plus que d'attendre de prendre la dose qui me permettrait de me sentir un peu mieux. De moins en moins présent dans mon corps, je sentais bien que parfois je n'étais pas seul à l'habiter. Les histoires de voyages hors du corps me fascinaient car, quelque part, je me comparais à ceux qui les pratiquaient, sans savoir que mes voyages se rapprochaient plus de la destruction que de l'aventure spirituelle.

Des idées sombres m'habitaient et souvent je sentais des présences à mes côtés et même à l'intérieur de moi. Je pris peur un jour, lorsque je sentis que quelqu'un que je ne voyais pas prenait mon bras et murmurait à mon oreille :

"Viens, tu ne vaux plus rien maintenant, pourquoi ne pas sauter de l'immeuble, peut-être que tu es capable de voler."

Je hurlai à cette voix de se taire et je n'entendis plus rien. C'est ce soir-là, que seul dans ma chambre, je voulus prendre une dose plus forte, juste pour apaiser ma peur et la douleur dans la tête qui commençait à m'envahir. Je ne voulais pas mourir.

Je m'allongeai, attendant que le produit fasse son effet, lorsque tout à coup, je vis une ombre près de moi, une ombre effrayante et grimaçante qui me faisait peur. Je n'étais plus qu'à demi dans mon corps tandis que cette ombre qui me terrorisait prenait la place de l'espace libre que j'avais laissé. L'ombre ondulante me ramenait à l'époque où petit garçon, je vis ma mère, un fer à repasser à la main. Je hurlai intérieurement, mais aucun son ne sortit. Nous étions maintenant deux dans ce corps que je ne contrôlais plus. J'aurais voulu appeler un de mes habituels comparses mais je savais que c'était trop tard. Jamais je n'aurais dû être seul.

Une partie de moi luttait contre une ombre qui dirigeait mon corps. Je voulais la chasser, mais j'en étais incapable, ce n'était pas moi qui commandais, ce n'était pas moi le chef. Le produit qui passait dans mes veines avait eu raison de toute volonté en moi.

Tour à tour je me sentais fort et faible, j'avais des douleurs violentes dans le ventre tandis qu'une voix que je n'aimais pas me disait de sortir et de conduire ma moto.

J'obtempérai, ne sachant que faire d'autre. Péniblement, je me levai au prix d'un effort que je considérais surhumain mais une force étrange m'habitait et m'aidait à lui obéir.

C'était la nuit et la moto semblait être conduite par un autre que moi… Ce quelqu'un d'autre conduisait et semblait connaître l'itinéraire et le lieu où il voulait m'amener. J'arrivai ou plutôt nous arrivâmes sur un pont, très haut et qui était tristement célèbre, car plusieurs personnes l'avaient choisi pour se suicider.

Comme un automate, je rangeai soigneusement ma moto et je m'approchai du parapet. La voix me susurrait maintenant :

"Regarde, essaie de sauter. Qu'est-ce que tu risques ? Peut-être que tu sauras voler ! essaie et puis si tu laisses ton corps ce ne sera pas une grande perte…"

Alors, comme poussé par une pulsion, une envie incontrôlable, j'enjambai le parapet et, comme un oiseau, je me lançai dans le vide sans aucune appréhension.

C'est alors que devant moi, je vis ma mère, la Vietnamienne. Elle pleurait et à travers ses larmes, sa voix répétait en écho :

"Thien, pardonne-moi, je t'aime, pardonne-moi…"

Qu'elle m'aime ? je n'arrivais pas à y croire, c'était impossible, juste une hallucination de plus, pensais-je.

J'entendis le choc de mon corps lorsqu'il atteignit l'eau et ma voix qui criait

"Maman !"

Ma mort fut longue et je traînai longtemps dans l'eau glaciale de la rivière. Avant de mourir je vis simplement, en un éclair, se dérouler ma vie, depuis ce moment de ma chute du pont jusqu'à ma naissance et à ma conception… Je sus tout à coup que la vie avait toujours voulu de moi et que ma naissance n'était pas un hasard malheureux. J'avais tout voulu, dans les moindres détails. Seule ma mort ne faisait pas partie de mon histoire.

Ce fut comme une évidence, un moment de grâce qui dépasse toute explication logique, un instant où l'on sait que notre existence a un sens. »

Tout en écoutant Timmy, des pans de sa vie défilent. Une voiture s'arrête sur le pont. Le chauffeur et ses deux passagers ont deviné qu'un drame se déroulait. Ils ont vu la moto et appellent maintenant, de leur portable, la police, les secours. Ils ont juste vu la silhouette basculer, trop tard !

Timmy est mort et ses parents adoptifs le pleurent. Sa mère dans la douleur de cette perte ne voit plus les enfants qui restent et qui, tour à tour, se demandent si les morts ne sont pas plus aimés que les vivants.

Timmy voudrait leur dire à tous qu'il n'est pas mort mais aucun ne le voit, aucun ne le sent, ni ne l'entend.

Alors, emportés par une spirale sombre, Timmy tourne sans contrôle, vite, de plus en plus vite… Lorsqu'enfin le tourbillon s'apaise, Timmy ouvre les yeux.

Il est étendu sur une table dans un univers éblouissant de lumière. Autour de lui, des silhouettes silencieuses et fluides se déplacent sans un mot.

« Où suis-je ? » se demande-t-il avec stupéfaction.

Durant un temps resté sans réponse, il repose sur une table autour de laquelle les silhouettes lumineuses s'activent sur ce qui semble lui servir de corps.

Des ondes lumineuses et colorées s'échappent de leurs mains et parfois de tout leur corps tandis que des sons apaisants prennent consistance autour de lui sous forme de lumineuses transparences.

Timmy sent un sommeil bienfaisant l'envahir. Il entend simplement des voix fines et cristallines qui parlent de lui :

« Ses corps ont été très endommagés. Nous ferons notre possible, mais il lui faudra une vie entière sur terre pour terminer de réparer les enveloppes… »

Timmy écoute sans comprendre ces mots qui se terminent dans un murmure.

Pendant un temps indéterminé, Timmy reste là sans bouger. Tandis qu'il est allongé, il voit des images de plus en plus nettes devant ses yeux. Des scènes de la vie qu'il vient de terminer, et parfois des scènes d'autres époques défilent. Dans ces instants, une silhouette lumineuse reste auprès de lui, prête à répondre à certaines de ses interrogations.

C'est ainsi que Timmy comprend la présence de l'ombre chez sa mère puis à ses côtés :

Il y a bien longtemps, dans un passé oublié des habitants de la Terre, Timmy avait un autre nom, un autre rôle. Il était puissant et son savoir était grand. Il savait faire ployer sous ses ordres les hommes de la terre et il se faisait aider d'entités sans corps qui se mettaient volontiers à son service pour accomplir des besognes diverses que lui, Timmy, considérait comme essentielles.

La morale était différente et les notions de Bien et de Mal n'étaient pas érigées en loi. L'homme puissant n'hésitait pas à abuser de son pouvoir à des fins qu'il croyait justes mais qui, visiblement, ne l'étaient que pour lui.

À sa mort, ses serviteurs invisibles attachés à lui par la magie qui opérait au-delà de la mort du corps le suivirent. Abandonnées à elles-mêmes, sans directives, n'étant plus dirigées par une force qui les dépassait, les entités sans corps devinrent comme des enfants indisciplinés, laissés à eux-mêmes.

Par la Loi du Karma, elles s'attachèrent à l'âme de leur ancien Maître en attente de leur délivrance. Le pacte ne s'arrêtait pas avec la mort physique. Il fallait pour les libérer qu'elles aient accès à la Lumière.

« Timmy, ce que tu as semé revient vers toi. C'est une des grandes lois cosmiques. Tu étais venu cette fois, pour apprendre à guérir la culpabilité en toi et l'amour, sans le pouvoir.

Tes corps subtils sont endommagés. Toutes les sortes de drogues agissent ainsi. Une vie complète sera nécessaire pour consolider ce que nous avons commencé à réparer. Tu auras à nouveau la tentation de fuir dans des pouvoirs artificiels pour retrouver des capacités anciennes et puissantes sans lesquelles tu te sens très petit et impuissant. C'est une étape essentielle pour toi : Redevenir Toi sans aucun artifice te demandera du courage.

Il te faudra aussi aider ces entités sans corps à monter vers la lumière. Elles ont été liées à toi autrefois et elles resteront près de toi, jusqu'à ce qu'elles réussissent, avec ton aide, leur transmutation.

Nous t'aiderons… Nous étions là nous aussi à l'époque de ta grandeur et nous savons combien ton cœur est triste devant la responsabilité que tu crois avoir eue dans la fin de notre civilisation.

Il est un temps où l'âme doit regagner l'Esprit et y déposer toute forme de culpabilité.

Ce que nous faisons, ce que nous avons fait, n'a qu'un temps et notre Ego le plus subtil ne peut éternellement nous faire réagir en coupable.

Tu apprendras, dans ta nouvelle vie, à déposer le fardeau des anciennes histoires, pour que le vase en toi puisse se remplir d'une eau nouvelle et limpide. Cela aussi, demande du courage, le courage de laisser partir, d'accepter le vide, plus effrayant pour certains que n'importe quelle forme de plein.

Ton âme aspire à la Paix, non pas à la paix des hommes

qui est une absence de guerre, mais à la Paix du Divin.

Ta route sera longue mais souviens-toi : elle te conduira à l'ultime Compassion. »

Thien-Timmy me regarde et déjà son regard a changé. La Force et l'Amour s'y mélangent étroitement.

« Je vais m'incarner d'ici peu... mais je vais encore te montrer ce que j'ai voulu faire avant de retourner sur Terre avec l'aide des Êtres lumineux et ce qu'ils m'ont appris. Suis-moi. »

Timmy pose sa main sur mon bras et, tous deux, nous nous retrouvons instantanément dans une pièce d'appartement meublée simplement.

Une forte femme d'une soixantaine d'années est assise devant une petite table un crayon à la main et du papier devant elle. Une large baie vitrée donne sur un jardin et un grand arbre, en bas de l'immeuble. Nous sommes, à en juger d'après la hauteur, au deuxième étage et la femme aux cheveux teintés en brun garde les yeux fermés en attente de quelque chose.

« Elle se prépare, elle m'attend. C'est une médium, me dit Timmy avec amusement, tu sais, j'en ai vu plusieurs avant de trouver celle qui serait capable de m'entendre vraiment. L'une d'entre elles racontait n'importe quoi. Elle entendait un mot ou deux et brodait autour. Elle ne transmettait rien de ce que je voulais dire.

Celle que tu vois là est simple et a toujours eu des capacités pour voir ou entendre ce que les "autres" ne voient pas. Elle ne se raconte pas d'histoire et veut sincèrement aider les personnes qui ont perdu les leurs. Elle sait les renvoyer lorsqu'ils s'attachent aux messages comme à une drogue... parce que c'en est une. » Timmy rit de bon cœur.

Il frôle la dame qui sursaute.

« Tu es là Timmy ? dit-elle »

Timmy se place devant elle et elle semble rassurée :

« Oui, je sais que c'est toi, raconte, que veux-tu dires à tes parents ? Tu leur as déjà dit tant de choses, il est temps pour toi de partir de la terre et de vivre ta vie. »

Timmy ne répond pas. Il est mort depuis dix-huit ans et depuis seulement quelques années terrestres, une fois par mois, il a accepté de communiquer ce qu'il sent, ce qu'il sait par l'intermédiaire de cette femme. Ses parents ont enfin accepté son départ et leur vie a repris son cours avec comme cadeau, une ouverture vers les mondes invisibles.

« Je viens cette fois vous remercier et vous dire au revoir car je vais bientôt revenir sur terre. Mon témoignage a été entendu par plus d'un et cela grâce à vous. Nous avons cette fois terminé notre collaboration… merci ! »

Le jeune homme délicatement dépose un baiser sur la joue ronde de la femme brune qui, émue, le sent et laisse une petite larme descendre le long de sa joue, seul témoin de leur adieu.

Spectatrice de cette étrange scène, je sais que rien n'est jamais inutile et que nos jugements souvent trop humains ne tiennent pas assez compte de « l'autre côté de la vie ». Parfois, dans notre monde physique, le bien et le mal, le vrai et le faux, le juste et l'injuste se mêlent étroitement… jusqu'à ce que nous nous rendions à l'orée du chemin qui nous mènera à l'Un.

ENSEIGNEMENTS

« Dis aux humains de la Terre que la fuite de ce que vous nommez "difficultés" est une illusion. Qui fuit qui, et pourquoi ? Un être en proie à des épreuves ou à ce qu'il considère comme telles et qui, par des moyens annexes, cherche à échapper à son histoire se retrouvera immanquablement face à elle. Personne n'échappe à lui-même, personne n'échappe à l'école de la Terre car son âme l'a voulu ainsi.

L'Être humain cherche désespérément la Liberté sans s'apercevoir qu'elle ne l'a jamais quitté.

Les substances qui contraignent une âme à parcourir un chemin où il devient incapable de faire face à son histoire, détruisent non seulement l'enveloppe physique mais aussi l'enveloppe plus subtile du corps astral.

Ainsi, il arrive souvent que la réparation demande une ou plusieurs incarnations durant lesquelles l'entité ne fera que colmater les trous de ses corps subtils. Elle en éprouvera une évidente sensation de stagnation.

Timmy a en quelque sorte "abandonné la partie" selon votre expression mais que cela signifie-t-il sur les plans subtils ? :

Lorsqu'un être laisse un espace non-habité, dans son

corps physique, ce qui est le cas avec tout ce qui est "drogues", des entités qui cherchent un véhicule pour expérimenter la matière ou pour continuer à vivre une vie sur terre, s'empressent de prendre la place. Ces entités ne connaissent pas les lois humaines et sont par essence amorales. Les conséquences peuvent en être dramatiques car elles agissent et réagissent selon leur niveau de conscience qui est très souvent primaire.

Le cas de Timmy est plus complexe encore. Il y a bien longtemps, dans d'autres vies, l'entité à connu des pratiques magiques où elle a asservi des entités du bas astral pour exécuter ses projets.

Ces esclaves sont attachés à leur maître et la mort du corps physique n'a pas de conséquence sur ce lien de maître à esclave. Sachez cependant que lorsque la puissance du maître faiblit, l'esclave prend le dessus. C'est une histoire de pouvoir, de puissance et de Force qui ne cessera que lorsque l'Amour prendra place. Seule la qualité d'un amour inconditionnel rompra le lien d'asservissement et le transformera.

L'entité Timmy va ainsi accomplir sur ce plan entre deux vies un parcours de service qui durera le temps qui lui restait à parcourir sur Terre. »

Frank le Rebelle

« IL PEUT ASSISTER À L'INFINITÉ DE SES MORTS
ET DE SES NAISSANCES SANS AVOIR RIEN VU,
CELUI QUI N'ACCEPTE PAS DE MOURIR À LUI-MÊME »
— Chemin de ce Temps-là

« Mon histoire est banale et ne mérite pas de grands discours pourtant je sais qu'elle peut en aider plus d'un. »

Cette façon très directe et sans préambule sera celle que gardera Frank durant toute notre rencontre.

Ce garçon, plutôt petit, aux cheveux raides et plats et aux lunettes à verres épais me donne la sensation d'être face à un intellectuel des années quatre-vingts.

« C'est un peu la réalité, dit-il en me regardant d'un air amusé. En fait, j'ai accepté de raconter mon histoire lorsque j'ai enfin compris que ma révolution n'était pas celle que je croyais. Je n'ai aucune excuse et je ne viens pas pour me justifier.

Je suis né rebelle et je n'ai pas honte de le dire. Déjà dans le ventre de ma mère, je me suis retourné comme si je voulais faire marche arrière. C'est elle qui me l'a dit, en se plaignant de toutes les souffrances qu'elle avait endurées pendant l'accouchement à cause de moi.

Mes parents me voulaient, sans plus. Mon père était un personnage rude et bon qui avait commencé comme ouvrier dans une usine et qui s'en était "bien tiré". Il avait pris des cours du soir et était devenu entrepreneur en maçonnerie. Il était souvent dehors et se plaignait rarement.

Ma mère, une intellectuelle qui ne connaissait rien au ménage et à tout ce qui touchait à la maison, n'avait aucun sens pratique et fumait à longueur de journée, parfois des joints, tout en lisant les dernières nouvelles internationales ou en écoutant la radio. Elle était au courant de tout ce qui concernait la politique et le social et les conversations qu'elle partageait avec ses amis ne manquaient pas d'intérêt. Avec eux, elle refaisait le monde, à sa façon et dans sa tête uniquement. En dehors de cela, dans la maison, régnait un parfait désordre, ce qui agaçait mon père qui grognait que la maison ne valait pas mieux qu'un de ses chantiers.

Nous étions trois. Mon frère et ma sœur plus âgés de trois et cinq ans étaient d'un autre père qui n'avait pas laissé d'adresse. Pour mon père, il n'y avait pas de différence. Il subvenait aux besoins de tous. Pour le reste, nous grandissions seuls et nous avions appris à nous débrouiller pour tout ce qui nous concernait. Le contenu du réfrigérateur apaisait notre faim. Chez nous, personne ne faisait à manger. Mon père n'avait pas le temps, ma mère considérait que c'était se soumettre à une tâche dégradante et dévalorisante pour la Femme. Quant à nous, nous n'y connaissions rien car personne n'avait pris le temps de nous apprendre les bases de ce qui pouvait constituer un plat. Dans nos jeunes têtes, nous appréciions la liberté dont nos copains de classe étaient privés et chez lesquels nous suscitions souvent l'envie. Nous nous gardions bien de dire que, nous aussi, nous aurions aimé être un peu plus importants aux yeux de nos parents. »

Sur l'écran de la mémoire de Frank, des scènes défilent :

Un petit garçon se bat dans la cour de l'école maternelle et l'institutrice a bien du mal à le retenir. Elle le tient par le col de son manteau tandis que ses bras et jambes continuent à remuer dans l'air, se battant contre un invisible adversaire.

« Mais que s'est-il passé ? lui demande l'institutrice, une fois le petit homme calmé.

— C'est pas juste, il me prend toujours mes crayons de couleur et cette fois il a fait des traits sur mon dessin. »

Frank ne pleure pas, il est visiblement outré par l'attitude peu conviviale de son camarade de classe.

« Ce fut toujours comme ça, ajoute Frank à mon intention, je me suis battu toute ma jeunesse contre l'injustice de ce monde sans me rendre compte que je me battais contre le monde entier, moi-même y compris.

Dès ma petite enfance, une malformation aux yeux m'a obligé très vite à porter des lunettes. Ce n'étaient pas de belles lunettes mais des lunettes avec de gros verres qui faisaient de moi la risée de tous les autres élèves. Un jour où j'en avais vraiment assez, je me suis dit que personne ne se moquerait plus de moi. Je demandai à mes parents de m'inscrire à un club de sport de combat et le petit homme à lunettes se transforma peu à peu en défenseur de la veuve et de l'orphelin. Tout était pour moi, prétexte à créer des conflits d'où je sortais souvent vainqueur, ce qui me donnait de plus en plus d'assurance.

Mes parents, de leur côté, se comprenaient de moins en moins et leurs routes divergeaient sans que l'on puisse y changer quoi que ce soit. La violence verbale sévissait chez nous et j'en faisais souvent les frais lorsque, à bout d'arguments, ils s'apercevaient enfin de mon existence. Dans ces moments-là, j'étais leur monnaie d'échange et je devenais le fils de l'un ou de l'autre.

J'appris ainsi que lorsqu'un adulte disait sur un ton agressif: "ton fils", ce n'était pas une reconnaissance de paternité ou de maternité mais le poids des reproches qu'ils se renvoyaient.

Souvent, dans les moments où ils ne se parlaient plus, je me transformais en messager, courant de l'un à l'autre avec la lettre ou le mot qui était destiné à "l'adversaire". Cette situation dura trois ans environ jusqu'à ce que de moi-même je refuse de collaborer. J'avais alors onze ans et je trouvais mon rôle parfaitement injuste.

Je ne brillais pas par la beauté de mon physique, que je me contentais d'ignorer, je rattrapais ce handicap par mes brillantes études et mon don pour la polémique.

J'avais treize ans lorsque mes parents, de disputes en disputes, décidèrent enfin de se séparer. J'étais presque soulagé lorsqu'ils me firent part de leur décision mais peu concerné car ma vie avec les amis avait pris, de plus en plus, la place de la vie familiale.

Pourtant j'en souffris lorsque je compris qu'il me faudrait choisir.

J'espérais qu'ils décideraient entre eux et qu'aucun d'eux ne me demanderait de leur dire avec lequel je souhaitais vivre, car je les aimais tous les deux. Je craignais surtout qu'ils ne me demandent de changer d'école ou qu'ils ne puissent plus subvenir à mes besoins vitaux. Je l'entendais dire parfois quand nous en discutions entre copains : tel père était parti laissant la famille sans ressource, tel autre avait enlevé ses enfants… et mes nuits devenaient agitées par des rêves hideux où je courais sans jamais m'arrêter sur des routes désertes à la recherche de nourriture.

Je dus choisir car mes parents, croyant me responsabiliser, me demandèrent avec qui je voulais partir. Je choisis très concrètement de rester avec celui qui garderait la maison. C'était pour moi une sécurité et la certitude de ne pas changer de collège. Ma mère garda la maison. Ce fut elle qui, par conséquent, devint responsable de moi. J'allais régulièrement rendre visite à mon père là où il se trouvait, jusqu'au jour où je décidai de prendre mon indépendance totale et de couper toute forme de relation avec eux. Je considérais à cette époque qu'ils ne s'étaient jamais intéressés à moi et que cette relation ne nous apportait rien d'autre que de la perte de temps. J'avais la nette sensation que nous n'avions rien à faire ensemble et que j'avais dû me tromper de famille à la naissance. Je me considérais comme un révolutionnaire dans l'âme et je ne voulais pas m'encombrer de sentiments que je jugeais inutiles. »

Sur l'écran de la mémoire de Frank, les images et les scènes défilent avec rapidité pour s'arrêter tout à coup sur l'une d'elles.

Frank doit avoir une vingtaine d'années.

Dans un paysage désertique, des hommes et des femmes, accompagnés d'enfants, se déplacent en longues files, ils sont habillés de haillons et tous leurs biens semblent contenus dans un carré de tissu noué que chacun porte précieusement avec soi. Frank est là, avec eux, un sac sur le dos, vêtu simplement d'une chemise et d'un pantalon de toile épaisse et de couleur sable, il marche en tête de la petite troupe.

Un autre homme accompagne Frank, un Européen, comme lui, et leur conversation évoque avec précision ce pourquoi ils sont là. Ils veulent dénoncer le déplacement inhumain de ces populations qui, peu nombreuses et pauvres, doivent quitter leurs terres pour que de riches propriétaires puissent s'y installer. Tout est prévu selon un plan précis et des correspondants les attendent à l'étape suivante, une ville moyenne où les autorités doivent les rencontrer pour notifier ces accords.

Frank est content de lui car cette démarche atténue la honte qu'il a de la civilisation occidentale, honte d'être un blanc, honte d'être de la race de ceux qui exploitent.

Habile à convaincre, il a réussi à se faire entendre dans une radio locale mais aussi dans un journal extrémiste.

Un instant, il pense à ses parents à qui il ne veut absolument pas ressembler : une mère idéaliste qui n'agit pas et un père qui travaille trop et ne pense pas… sans s'apercevoir qu'il a pris chez l'une, l'idéalisme et chez l'autre la capacité d'agir.

Lorsqu'il arrive à la ville avec sa petite troupe, il pense déjà au succès de ses démarches qui lui ont demandé des jours et des nuits de réunions et de mises en place.

Hélas, ce ne sont pas des partisans qui l'accueillent mais des policiers en armes qui éparpillent le groupe en haillons à coups de bâtons et l'emmènent directement en prison.

Il a été trahi et lorsqu'il lit le journal qu'on lui amène, il s'aperçoit combien ses propos ont été déformés et politisés. Rien ne s'est déroulé comme prévu !

L'insuccès le laisse dans le désarroi le plus profond. Il n'a pas peur de l'échec mais lorsqu'il se rend compte que pour de l'argent, pour un poste meilleur, ses « amis » de la veille l'ont trahi, il en reste profondément touché. La colère l'habite, une colère sourde, contre lui-même, assez stupide pour avoir cru en l'homme.

Les autorités de ce pays d'Amérique latine ne souhaitent pas d'ennuis et le remettent, quelques jours après, dans un avion en partance pour son pays. Il est expulsé et sommé de ne plus revenir. Frank rumine et désespère sur l'Humanité.

Il n'a pu revoir le groupe d'hommes et de femmes qui lui avaient fait confiance et qui l'avaient accompagné… Un informateur de ses amis, ne tarde pas à lui apprendre, quelque temps après cet événement, que les hommes, femmes et enfants qui avaient été éparpillés par la police avaient tous été mitraillés en pleine rue tandis qu'ils fuyaient, sans que qui que ce soit ait le courage d'agir. Le prétexte de délit de fuite servirait à couvrir cette soi-disant « bavure ».

Le bilan est incroyablement lourd. Par sa propre naïveté stupide, il avait été involontairement le prétexte pour éliminer une population gênante.

Le jeune homme est anéanti. Il sait que personne ne parlera de ce qu'ils qualifieront de « regrettable incident » car, dans ce coin reculé, la loi n'est pas la même pour tous.

Frank suffoque. Cela lui rappelle ce pays d'Afrique noire où, là aussi impuissant, devant l'injustice flagrante, il a dû abandonner la partie. Mais au moins personne n'était mort à cause de lui. Il avait occulté le fait que, ceux qui avaient été emprisonnés à la suite de ses actions, avaient été torturés longuement avant d'être relâchés…

Est-ce que la Vie se résume à combattre sans succès l'injustice ? Quel est le Dieu qui permet que l'iniquité existe ? Qui est celui qui donne le pouvoir à certains hommes d'anéantir les plus pauvres ?

Frank n'en peut plus et pour la première fois de sa vie, le désespoir l'habite.

Les scènes défilent et s'envolent pour faire un arrêt sur image :

Le temps a passé, Frank très amaigri, marche sur un chemin de terre rouge, l'air perdu. Il porte un petit sac à dos et ressemble à une personne qui a beaucoup voyagé et qui ne sait où poser sa tête. La scène reprend vie et j'entends les pensées de Frank me percuter tant elles crient leur désespoir :

« À quoi je sers ? À quoi bon… cette vie ? Je ne sais pas quoi faire de ma vie dans ce monde pourri qui n'a aucun sens ! »

Frank est visiblement en Inde. J'en reconnais les paysages, les cultures de riz, les temples-montagne et leurs sculptures ainsi que les femmes vêtues de saris de soie ou de coton aux couleurs chatoyantes. Il cherche une réponse à ses interrogations, une réponse extérieure que personne n'a encore pu lui donner.

« Pourquoi un Dieu permet-il tout cela ? Je déteste ce monde où le puissant a toujours le dernier mot. »

Dans sa quête, Frank qui cherche à apaiser sa culpabilité erre d'ashram en ashrams sans jamais trouver la paix. Il fume de la drogue mais ce n'est pas son truc, il n'éprouve aucun plaisir à fuir dans de nébuleuses sphères. Il veut comprendre, il veut une réponse.

Il entend certains sages lui dire de regarder plus profondément en lui car, c'est précisément là qu'il découvrira la réponse. C'est justement ce que Frank ne veut pas faire, il redoute ce feu qui couve en lui et qui lorsqu'il se réveille, le brûle tout entier et le consume.

À l'intérieur, Frank n'est que cendres.

Il marche, c'est le seul moment où une paix relative s'installe en lui. Les pensées sont moins vives durant la marche, les questionnements moins intenses mais cela ne dure pas. Il traverse des terres et des jungles, des déserts et des montagnes et trouve presque toujours des personnes qui l'hébergent et parfois pansent ses blessures physiques mais son cœur reste une plaie béante qui ne cicatrise pas.

À bout de souffle et de forces, un jour, il s'arrête :

« À quoi bon continuer… pense-t-il ? Je suis inutile et je me refuse à collaborer avec cette terre de souffrance. Ma vie ne sert à rien ! »

Dans un dernier élan, Frank décide de se poser dans une cabane de pêcheurs et de vivre parmi eux. Il les aide en contrepartie de cet hébergement sommaire et passe du temps à écrire pour enfin mettre de l'ordre dans ses pensées.

Le cahier épais aux larges lignes d'un bleu un peu passé et à la couverture de carton sur laquelle s'imprime un Ganesh coloré, se recouvre au fil des jours, d'encre violette. Frank y raconte son désespoir et si cette écriture agit comme une thérapie, elle reste encore insuffisante à lui offrir la paix de l'âme.

Frank aide comme il le peut ce petit peuple de pêcheurs mais, plus il les voit lutter pour un peu de pain quotidien, plus il assiste impuissant aux pêches trop maigres pour nourrir le village et à la famine qui, bien souvent, est présente, plus sa plaie intérieure saigne. Lui-même est faible et la dysenterie a eu raison de sa santé autrefois robuste.

Un jour, les pêcheurs ne voient pas sortir Frank de la petite cabane isolée qui lui sert de gîte. Il pleut, une pluie de mousson chaude, abondante, bénéfique et momentanément dévastatrice. La cabane est vide. Comme toutes les autres habitations sommaires faites de planches et de terre, elle prend l'eau et sur le sol de terre battue, un gros cahier recouvert d'une écriture violette attire l'attention d'un enfant.

Une femme, dehors sous la pluie, prend le cahier que l'enfant lui tend et ouvre les pages sans rien comprendre à l'écriture qui déjà, sous l'eau de la mousson, coule en longues bandes violettes sur le papier à présent gondolé. L'histoire de Frank s'efface sans que personne ne sache ce qui s'est vraiment passé.

La mer ramènera son corps gonflé, sur le rivage, sous les yeux étonnés du petit peuple qui réalise que Frank s'est noyé.

La mort n'est qu'un passage et les pêcheurs retournent à leurs occupations. Quelques-uns parmi eux sont chargés de psalmodier tandis qu'un prêtre veillera à de sommaires funérailles. Ils n'ont pas su que Frank s'était volontairement noyé. Ils ne l'auraient d'ailleurs pas compris, eux qui luttent durement et quotidiennement pour une survie inhumaine, eux qui essaient de vivre la vie qui est la leur…

Frank près de moi commente :

« Je me suis noyé car je ne voyais pas d'issue à mon histoire et je n'en pouvais plus de voir la misère et la mort autour de moi sans rien pouvoir y faire.

La mer devant moi semblait être mon ultime solution. Une sorte de dissolution de mes angoisses existentielles.

138

Ce n'était pas un acte facile pour moi, il m'a fallu du courage pour décider de mourir. Je suis alors rentré dans l'eau et moi qui ne reculais devant rien j'ai failli faire demi-tour et appeler à l'aide. Je n'ai pas un tempérament à revenir sur mes pas, alors j'ai avancé, de plus en plus loin, en fixant une ligne d'horizon que je ne voyais pas, tant la pluie tombait. L'eau était partout, dedans et dehors, sur mon corps et dans mon cœur. Lorsqu'une vague me submergea, j'eus la tentation de me débattre et puis une autre plus grande et plus forte arriva et l'ombre m'envahit. Qu'il est difficile de lâcher prise. Je sus alors que tout était sur le point de finir quand je ne sentis plus rien, ni l'eau, ni les vagues... Je venais juste de mourir.

Vingt-cinq ans de vie venaient de se dissoudre en quelques longues minutes dans l'eau de la mer qui me laverait de toutes mes souillures.

C'est ce que j'avais espéré au plus profond de moi... tandis que de l'autre côté, dans ce monde inexploré et inexistant à mes yeux, une autre histoire commençait.

Je ne mis pas longtemps à comprendre que la vie ne cesse pas simplement parce qu'on l'a décidé ainsi. Un univers semblable à celui que je venais de quitter se présenta à moi. Je crus que les pêcheurs m'avaient sauvé et je retrouvais ma cabane et mes questionnements tels que je les avais laissés. Pourtant quelques détails me surprenaient. La pluie de mousson ne me mouillait pas et sur mon cahier s'inscrivaient des mots que je n'avais jamais écrits.

D'une écriture élégante et équilibrée je pouvais lire ce qui suit :

"Moi Frank, je vais mourir du paludisme et je suis âgé de quarante-cinq ans mais, avant de partir, je voulais dire

ceci : La Vie est unique et sacrée, elle est un cadeau qui nous aide à vivre la matière, pour y insuffler l'Amour. Dans cette optique, nous choisissons des rôles, tous très différents les uns des autres mais aucun, au grand jamais n'est inutile. Nous croyons parfois souffrir, sans savoir que nous avons le pouvoir d'en décider autrement. La souffrance n'est pas une obligation et les "méchants" contre lesquels nous combattons souvent, sont autant en nous qu'à l'extérieur de nous. Pour que la paix arrive autour de nous, il faut la trouver en nous et pour la trouver en nous, il faut accepter de rentrer au plus profond de nous, là où les ombres règnent, nos ombres, celles qui nous font croire au malheur de l'humanité.

Ce que nous croyons voir à l'extérieur de nous n'est qu'un pâle reflet de ce qui est en nous. Cessons de fuir car ce n'est que nous-mêmes que nous fuyons et cette fuite est par essence l'illusion majeure.

J'ai compris enfin, que le monde ne serait jamais tel que je l'avais décidé, j'ai perçu cet orgueil subtil qui m'a tant fait souffrir devant mon incapacité à apporter ce que je croyais être "le bonheur" et qui n'était en définitive que, "mon bonheur". Je croyais le monde "mauvais" simplement parce qu'il n'était pas conforme à ma vision d'un monde "meilleur". Aveugle, je n'ai pas su voir la beauté dans le regard et dans le cœur de tous ceux que j'ai cru pouvoir aider mais qui étaient bien moins à "sauver" que moi-même. Le Monde est beau, non pas parce qu'il nous ressemble mais, pour lui-même et parce qu'en chacun de nous, le Beau existe. Je me suis attaché aux problèmes de la matière sans regarder les âmes et j'ai voulu imposer ma loi.

Aujourd'hui je sais, pour l'avoir tant de fois approché,

que le Beau est toujours présent mais souvent, nous ne pouvons le percevoir car des voiles épais obscurcissent la vision de notre cœur.

Ceci est mon testament et en ce jour, je suis dans la joie car j'ai trouvé la Réponse..."

Ces paroles ne signifient peut-être rien pour vous, mais pour moi, elles étaient limpides. Je compris que j'avais mis fin à mes jours, par désespérance, alors que quelques années me restaient à parcourir pour comprendre et guérir mon âme.

La lettre que j'aurais pu écrire si j'avais vécu mon histoire jusqu'au bout, était là, comme un rappel sous mes yeux. Je vais la graver en moi, elle sera mon ancrage lors de mon prochain retour sur terre. »

Je regarde Frank avec attention, quelque chose en lui a changé. Le petit homme à lunettes s'est peu à peu transfiguré. Il est près de moi, jeune homme rayonnant avec un sourire tel, qu'il donne envie de vivre sans se poser de questions.

« En effet, dit-il cette fois, je me poserai pas de questions. Je vais revenir en petite fille trisomique. »

Frank attend visiblement ma réaction qui ne tarde pas à arriver :

« Je ne comprends pas pourquoi tu dois vivre cette situation. Il y a bien assez de problèmes sur terre... »

Frank m'interrompt avec, dans la voix, cette assurance ferme et douce qui ne laisse pas de place au doute :

« Je dois comprendre cette maladie de l'intérieur afin d'en trouver la guérison pour les temps futurs. Il me faut aussi apprendre comment aimer et émaner de la paix autour de moi sans agir, juste par le simple fait d'exister.

Ne pas croire que l'on est maître de la destinée des "autres" est une étape importante dans mon évolution. Être Amour sans savoir ce que ce mot veut dire mais simplement parce qu'on en est rempli et qu'on le respire par tous les pores de notre être était ce que je m'étais proposé de vivre précédemment. L'orgueil, m'a fait passer à côté de mon histoire. Accepter ce qui est et que chacun suive sa route sans se sentir coupable, c'est ce que j'étais venu apprendre sans succès et que je reviens à nouveau comprendre et vivre. Ce qui m'est proposé est un choix dirigé, que j'accepte volontiers. C'est une voie de service comme une autre et cette fois je n'échapperai pas à mon histoire. »

Le rire de Frank est contagieux et je l'admire. Tout paraît tellement simple vu de ce côté de la Vie…

ENSEIGNEMENTS

« Dis aux humains de la Terre que la Vie n'est pas ce que souvent ils imaginent. Même vivante physiquement, une entité qui ignore la souplesse devant les situations diverses qui lui sont présentées est dans la Mort.

La mort n'est pas la désagrégation du physique, elle est la sclérose de l'âme, la rigidité de notre être intérieur, la volonté de contrôler.

Frank est comme beaucoup d'humains, il veut que la vie ressemble à ce qu'il pense être le mieux, selon ses critères... et si la Vie prend d'autres chemins, il se perd et ne peut imaginer que les choses ne se passent pas comme il l'aurait souhaité.

À partir de ce moment, la lutte commence. Un combat acharné contre un ennemi invisible et illusoire.

Englué dans une volonté trop personnelle, Frank se bat contre lui-même, contre ses principes de vie, contre sa volonté de ne pas avoir de principes et de croyances, contre l'injustice qui règne en lui et qu'il croit voir partout.

Combien nombreux sont ceux qui luttent contre... sans s'apercevoir qu'ils vont d'obstacle en obstacle jusqu'à ce qu'un mur plus haut que les autres les arrête. Combien sont ceux qui, désespérés, se demandent pourquoi, malgré tout ce qu'ils font, les difficultés s'enchaînent, sans comprendre un instant que c'est à eux-mêmes qu'ils doivent mourir.

À ce "Moi-Je" qui veut que la vie soit telle qu'ils la conçoivent, à ce "Moi-Je" qui veut prouver son existence par peur de se dissoudre dans le néant.

Lorsque l'on est un "combattant" il est difficile de baisser les armes de son Ego et d'accepter de ne plus contrôler... jusqu'à ce que "la lutte contre" se transforme et que "l'agir pour" prenne sa place. »

Je remercie du fond de mon âme cet Être de Lumière qui par quelques phrases simples nous offre l'espace sans limite de notre propre cœur.

Amir : l'attentat-suicide

« LES CONFLITS ENTRE LES PEUPLES SONT UN REFLET
DE NOTRE PROPRE CONFLIT INTÉRIEUR ET DE NOTRE PEUR »
— Jack Kornfield

Un Être de Lumière est cette fois à mes côtés, je ne perçois pas son visage, simplement les contours d'une silhouette lumineuse. Je m'étonne car, jusqu'à présent, j'étais directement en contact avec les êtres qui témoignaient de leur expérience.

Pourquoi ce changement ?

Perdue dans mes interrogations, j'entendis la voix chaleureuse de mon guide du moment :

« Ce que tu vas voir et entendre maintenant appartient à un domaine à la fois politique et religieux. Tu ne pourras pas entrer directement en contact avec l'acteur de cette nouvelle histoire. Il est dans son monde et tu n'existes pas dans ce monde qui est le sien. »

Je regarde autour de moi afin de trouver des repères qui puissent me fournir quelques indications… sans succès. Quel est donc ce monde auquel je n'ai pas accès ?

À quelques mètres de moi, je devine enfin la silhouette

d'un homme. Il est assis sur de vastes coussins aux ocres couleur de terre et de sable mêlées de fils de soie, rouges et orangés.

Il ne me voit pas, il ne perçoit rien de ma présence, je suis invisible à ses yeux. Il fume un long narguilé tandis que des tables de friandises : gâteaux sucrés au miel et loukoums accompagnés de dattes et de figues séchées, ainsi que des paniers de fruits frais, sont habilement disposés autour de lui.

L'ensemble du lieu tient davantage d'une tente richement meublée que d'un palais. La voix de mon guide résonne une nouvelle fois au centre de mon être :

« Ce sont les désirs de cet homme, qui créent son décor du moment. Comme pour chacun de nous et selon nos croyances, les premiers temps de l'après-vie correspondent à nos attentes... jusqu'à ce que le décor paraisse trop factice et que nous ayons envie d'aller au-delà. C'est à ce moment-là que nous rejoignons le plan qui correspond à notre âme et non plus à nos désirs terrestres. »

Je restai interrogative :

« Je croyais cependant que pour les suicidés, il en était autrement. C'est ce qui s'est passé jusqu'à présent ! Chacun de mes interlocuteurs s'est retrouvé dans un plan intermédiaire en attente d'une réincarnation rapide et aucun de ces plans ne correspondait à leurs désirs.

— Il s'agit d'une histoire de suicide politico-religieux si l'on peut dire. Regarde et écoute. Tout te paraîtra plus clair par la suite. »

J'ai confiance dans mon guide dont je ne perçois toujours pas les traits et je tourne mon attention en direction de l'homme, plus attentive à sa personne. Plutôt petit, enfoncé dans les vastes coussins du divan, il disparaîtrait presque sous l'abondance des tissus, si ce n'est la vision d'un bras musclé qui régulièrement se tend pour puiser dans l'une des coupes débordantes d'appétissantes pâtisseries. Un large bracelet-montre, vraisemblablement d'or blanc et jaune, orne son poignet, symbole de richesse... ou histoire de goût.

L'homme se tourne de côté avec lenteur, visible conséquence de son état de bien-être ce qui me permet enfin de percevoir son visage au teint mat. Encadré d'une barbe fine et de cheveux noirs, ondulés qui descendent jusqu'au col de son long vêtement soyeux, il émane une impression de solidité de cette personne pour laquelle je n'existe pas.

Je m'approche de lui, sans crainte, comme protégée par un anneau magique d'invisibilité.

Des femmes, plus belles les unes que les autres, lui apportent à présent des mets consistants tandis que d'autres dansent pour lui.

Je pense aussitôt aux 72 vierges promises à celui qui va dans le paradis des Musulmans. Je me demande combien de temps peut durer un tel décor et si les personnages vont se dissoudre eux aussi dans l'espace d'ici quelques instants.

« Ce monde n'est pas celui que promet la religion de cet homme, il sort de son imaginaire mais comme tout imaginaire, il a sa part de réalité. L'homme que tu vois est sur un plan intermédiaire où ses rêves se réalisent dès qu'il en émet la possibilité. Il ne peut cependant réaliser que ce qu'il connaît ou ce qui correspond à ce qui lui a été enseigné. C'est son "paradis".

Il vient de mourir dans un attentat-suicide, persuadé que l'acte qu'il a commis ne pouvait être autrement. Il pense être un héros ou un martyr, comme d'autres l'ont pensé aussi. Il avait une ceinture d'explosifs autour de lui et savait qu'il n'y survivrait pas. Lorsqu'il est monté dans le bus qu'il prenait régulièrement depuis un an, personne n'a fait attention à lui. Il a prié et donné sa vie pour que la vie de ceux qu'il aime change et qu'ils soient considérés et respectés.

Les Chrétiens qui partaient aux croisades ou qui se sacrifiaient pour imposer leur religion à des populations indigènes et impies à leurs yeux ont fait de même, autrefois.

Combien de morts et de sacrifices ont été perpétrés à cause de la religion enseignée par les hommes ? Les croyants persuadés d'avoir raison et de détenir la vérité sont des proies faciles pour les manipulateurs de quelque bord qu'ils soient.

Mets-toi un instant à la place de cet homme. Ce n'est pas une personne inculte, au contraire, il a beaucoup étudié et connaît les pays où les seuls temples qui subsistent encore sont ceux de la consommation.

Il avait trente ans et deux jeunes enfants, un travail qui lui permettait de vivre confortablement et des parents qui n'étaient pas des religieux extrémistes. Rien ne pouvait laisser supposer en lui le poseur de bombes, le terroriste prêt à enlever les vies et à donner la sienne à une cause qu'il croit juste.

Regarde ! »

L'Être de Lumière étend la main et aussitôt, la pièce dans laquelle nous sommes, se transforme en un lieu que je connais bien : la salle des mémoires.

Les murs frémissent et peu à peu disparaissent pour laisser une scène nous envelopper tandis que la brume qui nous entourait depuis peu, se dissipe avec lenteur.

Une petite ville prend forme avec ses ruelles de terre ocre, sa poussière et ses maisons aux toits plats sur lesquels se dressent les symboles de la civilisation sous forme d'antennes simples ou paraboliques et de ferrailles qui pointent vers le ciel.

Des personnes sur le pas des portes, souvent des hommes... fumant de longs narguilés ou buvant du thé, sont assis sur des chaises en plastique rouges et blanches, disposées autour d'une table basse, en cuivre noirci par endroits.

Ils discutent avec véhémence. Ils parlent des « autres », ceux qui veulent prendre leur terre, leur vie et leur dignité.

Une femme, dans une des maisons de la rue principale, gronde un enfant qui traîne dans ses jupes. Elle soupire et tout en prenant le petit garçon dans ses bras, elle continue une discussion, sans doute commencée bien avant avec un interlocuteur invisible à mes yeux :

« On ne serait pas si pauvres si nous avions nos terres et si nous étions considérés comme les habitants de ce pays. "Ils" veulent que nous partions mais nous sommes chez nous autant et même plus qu'eux. C'est "eux" qui doivent partir... »

Une voix masculine qui semble cassée par l'âge lui répond depuis une autre pièce :

« C'est juste ce que tu dis, nous avons perdu notre honneur et nous sommes considérés comme des parasites. C'est une honte. Notre terre est piétinée, notre religion bafouée et "on" veut nous chasser. Ça ne se passera pas comme ça. Nous nous battrons jusqu'à la mort. »

Le petit homme est reposé sans ménagement par terre et il court aussitôt vers la porte pour rejoindre d'autres enfants qui jouent dans la rue sous le soleil de la fin d'après-midi.

Mon guide commente :

« Ce petit garçon, c'est Amir, la femme que tu viens de voir le garde tandis que ses parents travaillent. Ils ont tous deux une situation qui lui permettra de faire des études en Amérique plus tard. Il assiste cependant tous les jours à ces mêmes discours, qui se gravent en lui de façon indélébile. Un jour, il a entendu dire que des enfants avaient ramassé des jouets qu'un avion avait lancé et qu'ils étaient tous morts. Il a longtemps fait des cauchemars à ce sujet par la suite.

Plus tard, il a appris que des avions lançaient volontairement des jouets piégés et une profonde colère, très semblable à la haine, s'est glissée en lui.

Un jour, c'est cette partie de mémoire oubliée qui se réveillera et lui donnera l'impulsion pour agir. »

La scène qui à présent se dévoile est plus récente :

Le petit garçon a grandi, il est maintenant papa de deux beaux enfants, un petit garçon et une fille respectivement âgés de trois et cinq ans mais son front reste marqué par deux grandes rides horizontales. Sa femme aussi a fait des études mais vu l'âge des enfants, elle reste à la maison.

L'homme, parfois accompagné de sa famille, fait de fréquents allers-retours entre son pays d'origine et le pays où il vit maintenant. Il est convivial et attentif au bien-être de chacun mais depuis peu, quelque chose en lui a changé. Dans le monde, l'actualité se révèle chaque jour plus désespérante, et comme un lien de cause à effet, à son travail, la communication devient plus difficile avec ses collègues. Il est toujours aussi apprécié pour ses compétences mais, il ressent un malaise et croit, peut-être avec raison, que les « autres » lui en veulent d'être de la race et de la religion des « perturbateurs » actuels. Personne pourtant n'en parle ouvertement cependant, Amir se sent de plus en plus rejeté, sans se rendre compte un seul instant que c'est sa vieille blessure d'enfant qui refait surface. Il ignore qu'en lui gronde une révolte, celle d'un petit garçon qui durant son enfance assistait impuissant à des plaintes d'adultes et à des spectacles avilissants.

Il capte et écoute de plus en plus des informations sur une radio de son pays-racine. Depuis quelques mois, elles réveillent en lui une vieille mémoire, celle de l'abusé, celle de la victime, celle du bafoué.

Il est là, mais il est de moins en moins présent que ce soit au travail ou dans sa famille. Son air préoccupé et distrait attire l'attention de sa femme qui essaie de comprendre mais, Amir n'a pas vraiment de réponse à lui donner.

Depuis quelques mois, le soir, il se rend de plus en plus à des réunions secrètes où il rencontre des hommes qui, comme lui, sont révoltés de ce qui se passe pour leur peuple et leur terre. Maintenant, quand il retourne dans son pays, d'autres hommes, correspondants des premiers, l'accueillent tandis que, de part et d'autre, les membres de sa famille s'interrogent et s'inquiètent. Amir a changé, il est de plus en plus sombre et silencieux et parfois très irascible. Même ses enfants ne parviennent pas à le sortir du monde dans lequel il semble s'enfermer chaque jour un peu plus.

Amir admire en secret ces hommes qu'il rencontre de plus en plus souvent et auxquels il aimerait ressembler.

Sa vraie famille est là, pense-t-il, convaincu que personne à part eux ne peut le comprendre.

Ces hommes ne veulent pas le bonheur pour eux-mêmes. Certains, comme Amir, pourraient fort bien se contenter de ce que la vie leur offre, sans avoir à se plaindre. C'est autre chose qui les motive et les pousse à agir. Ils se sentent comme des animaux traqués et acculés dans leurs derniers retranchements. Ils regardent les leurs, écrasés, piétinés et n'en peuvent plus de voir que personne sur le plan international ne réagit à l'injustice qui règne et qui touche au fondement même de leur vie.

Amir aime leur enthousiasme et cette foi qui les habite, sans se rendre compte que, plus il rencontre les habiles orateurs du groupe et plus sa détermination augmente...

Ils sont tous motivés par le courage de dénouer une situation qui leur paraît insupportable.

Que d'autres perdent la vie n'est pas un problème pour eux. L'enjeu est trop important pour s'arrêter à quelques morts. La plupart ont déjà perdu tant de personnes aimées que la mort n'a plus d'importance et que la haine les habite.

Ils auront le ciel en récompense et les grâces du Prophète. Ils se comparent aux valeureux guerriers qui partent à la guerre pour délivrer leur pays. Ils sont prêts à donner leur vie pour une cause, comme l'on donne sa vie pour ceux que l'on aime.

Ce matin-là, Amir s'était préparé, comme d'habitude, pour sortir. Il avait cependant mis plus de soin à sa toilette et après un dernier coup d'œil dans la glace, il se trouva beau. Il aimait cette image de lui en samouraï des temps modernes... Sur le pas de la porte, il avait simplement serré un peu fort, un peu plus longuement ses enfants dans les bras.

Un instant, il entrevit le regard de son fils dans lequel il

152

crut percevoir une émouvante interrogation :

« Qu'allons-nous faire sans toi, papa ? »

Il repoussa ce qu'il prit pour un mirage et posa l'enfant.

Il avait un rendez-vous qu'il ne pouvait manquer et personne ne l'en détournerait. Il ignorait que, pendant ce même moment, dans d'autres parties de la ville, d'autres êtres qui n'avaient aucune existence pour lui, se rendaient au même rendez-vous, mus par les fils invisibles de la destinée, conduits par le « non-hasard » qui fait les synchronicités.

Sarah, ce jour-là attendait ses enfants. Elle devait se rendre en ville pour les derniers achats utiles à la préparation de son plat préféré : curieusement et contrairement à l'habitude, sa voiture ne voulut pas démarrer. C'était un vieux modèle, certes, mais qui lui rendait toujours d'inestimables services. Elle décida sans déplaisir, de prendre l'autobus, son panier à la main. La ligne était directe et elle rencontrerait certainement des connaissances avec qui parler. Elle était tellement heureuse de revoir son fils, la femme de celui-ci et ses deux petits-enfants qu'elle avait envie de partager ce bonheur.

Mohammed, quant à lui, avait ce matin-là, décidé d'emmener les trois enfants en promenade. Il n'avait qu'un travail irrégulier et ce mercredi, personne ne l'avait appelé. Sa femme, enceinte d'un quatrième enfant, était fatiguée et il avait pensé emmener les enfants dans la petite ville par l'autobus.

David, un jeune collégien de quinze ans avait donné rendez-vous à Samia dans le bus. Il avait prévu de l'emmener au cinéma mais en fait peu lui importait le lieu, l'essentiel était d'être avec elle, de plonger son regard dans le sien et de sentir sa tête sur son épaule. Il était très amoureux. Leurs religions différentes n'effrayaient que leurs parents, aussi essayaient-ils de se voir le plus souvent à l'extérieur.

Macha était enceinte et devait faire une nouvelle échographie. Elle avait rendez-vous ce matin-là et avait décidé de prendre l'autobus afin d'éviter l'énervement de chercher une place pour la voiture en centre-ville. Elle était tellement heureuse d'attendre cet enfant. C'était son premier et tout le monde était attentif à son bien-être. C'était la première fois qu'elle se sentait aussi importante.

Lorsqu'Amir monta dans l'autobus bondé, la haine au cœur, il lui sembla que le temps venait de s'arrêter, immobilisé dans un espace-temps qui lui parut durer plus qu'il ne l'aurait voulu. Dans cet « arrêt sur image », il vit la femme enceinte qu'il avait un peu bousculée, figée dans un sourire qu'elle lui adressait. Un peu plus à l'arrière, un couple tout jeune se fixait avec un regard tendre et amoureux, il eut aussi le temps de voir ce père et ses trois enfants, le plus petit blotti, endormi et confiant sur ses genoux. À côté de lui, une ménagère et ses paniers prêts à être remplis de victuailles racontait en riant ses dernières aventures à sa voisine attentive. Dans cette scène figée où plus personne ne bougeait, il reconnut tout à coup l'Amour et la Vie. Il n'y avait plus que ça, Amir ne voyait plus que cela. Les personnages et le décor s'animèrent à nouveau et Amir sut en cet instant qu'il était trop tard. Il ne maîtrisait plus rien.

Ils avaient tous, ce jour-là, pris rendez-vous avec la mort.

Lorsque l'explosion eut lieu, les sirènes des ambulances et de la police lancèrent leurs plaintes annonciatrices de mort tandis que des cris et des pleurs s'élevaient de la foule maintenant agglutinée autour d'un spectacle effrayant. Des corps déchiquetés baignaient dans le sang, au milieu de débris de fer tordus et acérés. Des gémissements laissaient penser à de possibles survivants et tandis que les secours s'activaient, une femme cherchait sans entendre et sans voir ce qui se passait autour d'elle. Son hurlement glaça la foule un instant... Elle venait juste de découvrir son mari et le plus petit de ses fils ou du moins ce qui en restait. Elle resta là à genoux, insensible à ce qui pouvait se passer autour d'elle, comme en prière. Lorsque les hommes de l'ambulance voulurent l'emmener, elle se laissa faire sans résistance, la vie n'avait plus de sens pour elle et peu importe ce qui pouvait lui arriver. D'autres cris, d'autres pleurs se succédèrent, déchirant la foule, tandis qu'un peu plus haut, des âmes épouvantées et sous le choc regardaient, spectatrices impuissantes leurs corps déchiquetés par l'explosion.

Elles assistaient sans comprendre à l'affolement généré par l'attentat... et peu à peu elles comprirent que c'étaient d'elles, ou du moins de ce qui restait de leurs corps, qu'il s'agissait. Elles surent que leur parcours terrestre venait de prendre fin ici même et les moins démunies d'entre elles cherchèrent à rassurer les autres.

Elles ne savaient comment aider ceux qui, un peu plus bas criaient leur douleur... Elles ne voulaient pas les quitter, cependant une lumière douce et apaisante les enveloppa peu à peu tandis que le spectacle horrifiant disparut à leurs yeux.

C'est alors que chacune d'elles prit son envol pour affronter son histoire personnelle, celle que personne ne peut écrire pour nous, tandis qu'Amir espérait de toutes ses forces accéder au paradis promis aux âmes valeureuses.

« Moi aussi, je croyais cela ! Je croyais que mon acte allait changer un monde que je n'aimais pas et que j'en serais le héros. »

Ces derniers mots de mon guide sans visage m'interpellèrent.
« Regarde-moi à présent, attentivement. »
Je me soumis volontiers à cette injonction, tandis que la silhouette lumineuse, telle une flamme, ondulait, se tordait et se transformait sous mes yeux incrédules, jusqu'à former le corps fin et svelte d'un moine bouddhiste en robe safran.

Un vertige presque nauséeux, m'habita et je fus violemment projetée sur la place d'une ville asiatique qui remplissait à présent tout mon espace. La lumière et la chaleur moite d'un été tropical m'oppressaient sans que je puisse en deviner la cause. Comme guidée par un sens plus subtil, je savais simplement que d'ici peu, les travailleurs allaient quitter leurs bureaux et leurs usines pour traverser cette place.

La foule se pressait maintenant, silencieuse, autour de quelque chose ou de quelqu'un que je ne voyais pas encore, mais qu'intuitivement je redoutais de percevoir. Je m'approchai comme mue par une poigne invisible qui m'entraînait toujours plus loin.

Ce que je vois alors me fige là instantanément :
Au milieu de la place, sous le regard de la foule muette, un moine s'arrose d'essence et y met le feu, tandis que son corps s'embrase sans qu'il ait prononcé le moindre mot, esquissé le plus petit geste, ni émis la plus infime plainte. Le corps se tord et se consume dans les flammes, devant des spectateurs qui toujours plus nombreux se

pressent, effarés et stupéfaits par un tel spectacle.

J'ai la sensation terrible que le temps ne s'arrêtera jamais tandis que, le corps noirci s'affaisse enfin et que la scène s'efface.

Mon guide est près de moi…

« En moi aussi, la révolte grondait. On assassinait mon peuple, on bafouait nos croyances et personne sur le plan international ne bougeait.

Je crus que j'étais un héros et que je pourrais donner l'exemple ou faire bouger ceux qui nous gouvernent, sans penser un instant que cette volonté de modifier les événements au prix d'un crime n'était que le jeu de mon Ego.

Mes enseignants m'avaient appris que le corps n'était qu'illusion et je n'avais retenu que cela. j'étais prêt à sacrifier cette "illusion" pour que d'autres s'éveillent. C'était mon cadeau au monde et aux humains. Un cadeau pour la paix, pour que nous puissions pratiquer notre religion sans être torturés ou emprisonnés pour cela.

En fait je venais de commettre un crime et de détruire le véhicule qui m'avait été prêté pour que j'accède à la paix intérieure.

Les enseignements qui avaient bercé ma vie de moinillon puis de moine, le disaient et je ne pouvais les ignorer.

Je pensais simplement que j'offrais ce que j'avais de mieux pour une cause que je croyais juste, sans me rendre compte que j'avais fait de mon corps un instrument de marchandage, une vulgaire monnaie d'échange.

Ce non-respect de ma vie, je ne m'en rendis compte que bien plus tard, sur les plans de mon âme, en même temps que je compris que j'avais fait le jeu de ceux qui entretenaient la dualité et la violence sur Terre.

Après avoir traversé les mondes infernaux liés à mes

croyances, je pus voir que rien n'avait changé par mon acte, bien au contraire, après ma mort la violence régna avec plus de force encore.

Il est des êtres puissants qui tirent les fils de nos Egos et de nos manques, qui se jouent de nos blessures… Ceux-là, ont l'impunité, ils ne se battent pas, ils ne sont jamais dans la mêlée, dans les conflits. Ils sont habiles et utilisent notre soif d'idéal et nos besoins non reconnus pour arriver à leur fin.

Les journaux ont parlé de moi et de mon acte. Il y a eu davantage d'émeutes et de mouvements d'indignation mais ce n'était pas cela que je cherchais. Quant au reste, je ne l'aurais pas obtenu, car il y avait trop d'intérêts en jeu.

Je vis alors que dans d'autres vies, dans d'autres temps, j'avais, sous d'autres formes, parcouru des itinéraires semblables. J'avais été un valeureux et respecté samouraï, et là encore je m'étais, selon nos coutumes, donné la mort pour échapper à la honte de l'asservissement et de l'échec d'un ordre que je défendais avec passion.

Après ma mort par le feu, je commençai seulement à comprendre que se donner la mort n'était pas la solution pour résoudre quoi que ce soit et à accepter que mon orgueil avait eu une active participation dans ces morts programmées.

Il y a toujours eu des guerres et des massacres pour une cause ou une autre mais fondamentalement, rien n'a changé. La balle est dans un camp puis dans l'autre. Nous sommes tour à tour les gagnants ou les perdants mais, de quoi au juste ?

La paix, l'égalité, le respect et l'amour, auxquels nous aspirons tous, sont bien loin de toutes les considérations de ceux qui appuient sur le détonateur de nos idéaux et de nos préoccupations.

Pour eux, il n'est même plus question de pouvoir ou d'argent. Tout cela, ils l'ont. Ils agissent pour une autre force qu'ils ignorent et dont ils sont eux-mêmes les pantins.

Ils se veulent l'égal du Créateur et nous sommes leurs créatures.

Lorsque mon âme et mon esprit se sont ouverts, j'ai accepté de m'incarner encore une fois. Cette fois-là, je suis mort dans un incendie que je n'avais pas provoqué mais j'avais le cœur pur et je savais que ma mission, cette fois-là, était simplement d'être sur terre, ni plus ni moins. "Être Présent", c'est ce que j'avais pu enfin accomplir après tant et tant de vies.

Amir mettra du temps à comprendre ce qui fut pour lui un acte d'héroïsme. Non parce que son intellect ne le lui permet pas, mais parce qu'il est nourri et soumis à un puissant égrégore fait de tous les désirs de vengeance des cœurs qui ont vécu le mépris.

Puis, comme moi, un jour, il saura que victimes et sauveurs sont des proies faciles et manipulables et que ce n'est pas à la surface de la terre qu'il faut les détruire mais en nous, le seul lieu dont nous sommes les maîtres. »

Je ne peux m'empêcher de demander :

« Amir va-t-il regretter son acte et doit-il en souffrir comme la plupart de ceux que j'ai rencontrés ?

— Amir va passer un temps à croire à l'utilité de son geste sans en ressentir les conséquences mais cela ne peut durer car il est un moment où l'âme s'éveille à d'autres réalités. Un moment de grâce où chacun fait le point et devient "l'autre". Un moment d'Unité ou l'autre, celui que l'on a haï devient une partie de nous. C'est à ce moment-là que tout bascule.

Enfer, Paradis, sont des mots humains pour faire toucher une réalité illusoire. L'humain est le premier créateur de ses propres souffrances et de son enfer personnel.

Au-delà, ou en dedans si tu préfères, il n'y a pas de jugement. Il y a simplement un être qui, face à lui-même, fait le tour de son histoire et comprend, ressent, torturé ou non par ce qu'il croit avoir fait, jusqu'à ce que son cœur soit lavé de toute trace de haine envers lui, envers l'autre et que l'Amour en soit le seul habitant. »

Lorsque le contact se termina, je cherchai à savoir qui était ce moine qui m'avait ainsi accompagné d'une présence aussi lumineuse et sereine.

J'ai trouvé un petit entrefilet sur internet (l'internaute histoire) qui pourrait correspondre à sa vie ou plutôt à sa mort :

1963 : 11 juin
Un bonze bouddhiste s'immole par le feu.
Pour protester contre le régime dictatorial proaméricain du président vietnamien : Ngô Dinh Diêm, un bonze bouddhiste se suicide par le feu à Saïgon (Vietnam du sud). D'autres immolations publiques suivront et les mouvements d'opposition seront sévèrement réprimés par le pouvoir. En novembre, un coup d'état renversera le gouvernement de Ngô Dinh Diêm qui sera fusillé. En 1964, les États-Unis décideront d'envoyer des troupes au Vietnam afin de s'opposer à l'avancée du communisme.

ENSEIGNEMENTS

Je suis là devant un être sans visage. Seule sa silhouette de flammes orangées ondoie tandis que sa voix résonne en moi.

« Je ne peux densifier davantage ma forme. Même sur ce plan intermédiaire, mes atomes sont d'une telle puissance qu'ils désintégreraient ce qui ne leur ressemble pas.

Dis aux humains de la Terre que la Vie est sacrée. Dis-leur que dans d'autres mondes, la vie dans un corps physique est considérée comme un cadeau inestimable. Il y a trop de vos années où vous dilapidez ce don précieux qui est le vôtre et que vous considérez trop souvent comme un poids.

Faites de votre vie sur terre un moment de Joie pour aller à l'essence de votre être. Le Temple de votre âme ne peut plus être méprisé ainsi que vous le faites, sans aller vers un précipice.

Voilà bien longtemps que vous expérimentez la matière sous des formes diverses. Vous avez été des minéraux pour en apprendre la densité et la stabilité, vous êtes devenus des plantes pour apporter la douceur et la beauté au monde, vous avez acquis dans le peuple animal l'instinct et le savoir du moment présent ainsi que l'amour incondi-tionnel, vous apprenez dans le corps humain, le choix et le dépassement du moi.

Ne faites pas de votre Vie un combat, car il n'y en a qu'Une pour le Grand Soleil d'où vous êtes issus même si elle se présente sous de multiples formes.

Que cette Vie soit comme un nouveau jour. Voyez-la comme Unique car jamais vous ne la retrouverez. Votre "moi-je" n'a aucun pouvoir sur elle. Si vous voulez mou-rir, mourez à votre mental inférieur, à celui qui juge, qui contrôle, qui craint et qui divise. Laissez-le se dissoudre sans peur de perdre quoi que ce soit. La fin du corps phy-sique n'entraînera jamais la fin de la Vie qui, par essence, est immortelle.

Puisse votre vie dans un corps physique servir de pré-misses à un monde nouveau… »

J'entends de moins en moins la voix dont je ne capte plus que des morceaux que je ne veux pas interpréter. Alors, devant moi, la silhouette de flammes m'entoure et m'enveloppe. Je n'existe plus et pendant un instant je sais ce que la dissolution signifie. Une dissolution qui est très loin de l'anéantissement, qui est même son contraire. Une fusion, c'est cela, une fusion avec l'Un qui, loin de m'anéantir, m'agrandit et m'expanse à l'infini.

Je sais, en cet instant, que rien jamais ne s'arrête, que nous sommes infiniment plus lumineux que nous ne l'imaginons et que les masques de nos vies ne sont que des emprunts pour l'expérience que la plus haute partie de nous a choisi.

Je sais en cet instant que Tout est Bien et Juste.

Je réalise que cette fois mon voyage prend fin. D'autres auraient pu me parler de leur vie, d'autres races aussi, mais sans doute y a-t-il une raison pour que ce soit ces êtres qui aient été dirigés vers moi.

Je souris à l'Être de Lumière qui m'a accompagné dans ces voyages et aux enseignants qui, pour chacune de ces histoires de vie, ont donné un éclairage que seul l'Amour sans jugement et sans attente est capable d'offrir.

J'aurais pu parler de ceux qui restent, ceux qui se croient coupables de ne pas avoir assez fait mais, là aussi, dans une aventure telle que celle que je viens de vivre, il y a toujours des blancs, des vides. Ce n'est pas sur eux que nous nous attarderons vous et moi mais sur ces âmes dont l'itinéraire a changé parce qu'ils ne croyaient plus en la Beauté ni en la Bonté de l'Humanité ou parce qu'ils refusaient l'Échec.

Je me suis rendue à l'évidence, faire le deuil d'un monde idéal, c'est grandir un peu plus à l'intérieur de Soi, c'est assumer le fait d'avoir une vie sur Terre que personne d'autre ne peut vivre à notre place. Une vie qui, quelle qu'elle soit, est la nôtre, unique, irremplaçable et sacrée. Renoncer au monde tel que nous l'aurions voulu, c'est accepter de ne plus contrôler, c'est accepter que la Vie nous propose ce à quoi nous n'aurions pas pensé et qui nous permet d'aller plus profond en nous, au-delà de nos écorces, vers l'espace dont nous sommes les seuls habitants : celui de notre Cœur.

Un Cœur qui, au-delà des religions, des tabous, des barrières raciales ou sociales, sait dire oui à la Vie, telle qu'elle est.

Ces rencontres m'ont offert une leçon : « Pour changer quoi que ce soit il est essentiel d'accepter d'abord ce qui est, en nous et autour de nous. Pour accéder à cette acceptation, il est tout aussi essentiel d'Aimer l'Être de Lumière en nous et dans l'autre. C'est le début de toute transmutation… »

COMMENT AIDER
LA PERSONNE QUI S'EST SUICIDÉE ?

Je pensais avoir terminé ce livre et ces rencontres qui furent pour moi d'une beauté et d'une grandeur auxquelles je n'avais jamais pensé, mais ce n'était pas tout à fait le cas.

Quelque temps après la fin de ce livre, une nuit, je rencontrai à nouveau un groupe d'êtres inconnus, accompagnés de ceux que je connaissais déjà. Ils m'attendaient avec une tendresse impatiente dans un lieu immaculé sans autre forme de vie que leurs présences... une sorte de salle d'attente subtile entre deux mondes.

L'un d'eux que je n'avais jamais vu s'adressa à moi en ces termes :

« Nous te remercions pour ce livre mais il reste cependant inachevé. »

Étonnée, je me contentais de sourire en attendant la suite de ces paroles de bienvenue toutefois un peu surprenantes.

L'être qui avait perçu mon étonnement continua avec douceur :

« Je te demande au nom de tous ceux ici présents et de tous ceux qui ignorent encore ta venue de bien vouloir

165

passer ce message qui contient des éléments d'une grande importance pour nous qui avons interrompu le cours de notre vie.

Beaucoup d'entre les "vivants" se demandent comment nous venir en aide. Dis-leur que :

Quelles que soient les façons dont nous avons arrêté notre vie physique, il est essentiel que ceux qui restent ne se sentent pas coupables de notre mort. Aucun être, quel qu'il soit, n'a assez de puissance pour nous faire agir contrairement à ce que nous aurions voulu.

Par notre suicide, nous n'avons pas franchi une des étapes que nous nous étions proposées de traverser lorsque nous avons établi notre contrat d'incarnation. Penser que ce sont des événements ou des personnes extérieurs à nous qui ont contribué à notre chute n'a cependant aucun sens même si nous y avons cru nous-mêmes, autrefois.

La culpabilité de ceux qui nous entourent peut satisfaire momentanément notre personnalité provisoire mais cela ne dure guère et très vite nous souffrons de la souffrance que nous occasionnons.

Nous demandons à ceux qui ont de l'amour pour nous de ne pas souffrir à notre place car cette souffrance nous alourdit et assombrit tout ce qui nous entoure. Toutes vos pensées nous parviennent avec beaucoup de force car nous sommes encore très proches de la matière de la Terre.

Priez, méditez pour nous, cela nous aide car les ondes lumineuses que vous nous envoyez de cette façon dissolvent peu à peu les voiles sombres qui nous recouvrent et nous empêchent de voir la Lumière. Ne faites cependant pas de vos méditations et de vos prières, un devoir, une obligation ou une punition car la lumière qui nous parviendrait s'en verrait entachée et diminuée.

Nous nous sentons terriblement impuissants à gérer ce que nous avons provoqué en vous et nous n'avons pas un recul suffisant pour nous rendre compte que cela vous appartient aussi.

Si je peux en parler ainsi aujourd'hui, c'est parce que mes amis ici rassemblés et moi nous avons cheminé et sommes, pour la plupart, prêts à revenir sur Terre avec un nouveau contrat.

Ne retenez pas de nous l'acte que nous avons commis mais retrouvez les meilleurs moments que nous avons passés ensemble.

Lorsque vous pensez à nous, vous qui restez sur Terre, remémorez-vous les instants de joie ou de tendresse que nous avons pu vivre ensemble. Voyez la beauté qui fut nôtre, celle que nous n'arrivions plus à percevoir nous-mêmes...

Parlez-nous comme on parle à une personne que l'on aime, non pour regretter notre départ ou votre difficulté présente, mais pour honorer le chemin que nous avons parcouru en votre compagnie.

Ne gardez pas nos traces comme des reliques, ne recréez pas des sanctuaires qui nous figent dans un passé douloureux. Aidez-nous à rendre notre parcours moins douloureux, non pas par vos actes mais par l'acceptation et la sérénité que vous saurez faire croître en vos cœurs.

Acceptez-nous intégralement comme nous avons été, avec nos forces et nos faiblesses. Immanquablement arrivera le jour de la réparation sur terre et ce jour-là, nous serons portés par votre capacité à transmuter la peine que nous vous avons occasionnée. »

L'être qui me parle est un homme jeune d'une trentaine d'années aux cheveux sombres et au teint clair. Il me sourit. Je sais qu'il est déjà passé par les épreuves du suicide et qu'il fait à présent partie des enseignants qui aident les suicidés avant leur nouvelle incarnation.

Il sait que je sais et cette reconnaissance crée un lien subtil entre nous.

« Est-ce cela qui manquait à la "Rupture de contrat"? »

L'homme approuve et se contente de hocher la tête tandis que je sens au plus profond de moi le tiraillement caractéristique qui me rappelle vers mon corps physique.

Dans un dernier regard entre ces êtres et moi, je comprends que cette fois le livre s'achève et, tandis que des rayons de lumière parviennent en ondes vers moi, le voyage vers mon corps physique a déjà commencé.

En cet instant précis, ma reconnaissance envers tous ceux qui ont participé à l'aventure de cet ouvrage est immense. Le seul mot qui me vient est:

MERCI

EN RÉSUMÉ :

• La culpabilité alourdit le parcours de celui qui vient de se suicider. Les pensées de réconfort lui permettront d'ôter les voiles qui l'entourent et qui l'isolent de la Lumière.

• La prière et la méditation sont des aides efficaces si elles ne sont pas constituées de plaintes ou de regrets et de pleurs.

• Passez en revue tout ce que vous avez aimé chez la personne suicidée, ce qu'elle a accompli de beau et les bons moments passés ensemble.

• Créer un sanctuaire ne fera qu'alourdir l'avance de celui ou de celle qui est parti.

• Les « reliques » retiennent dans le passé. Évitez-les.

DOCUMENTATION

> *« LORSQU'IL Y A MORT SOUDAINE OU SUBITE,*
> *LES DÉFUNTS ONT UN BESOIN D'AIDE URGENT.*
> *EN CAS DE MEURTRE OU DE SUICIDE,*
> *LE DÉFUNT RISQUE D'ETRE FACILEMENT PIÉGÉ*
> *PAR L'ANGOISSE, LA PEUR ET LA CONFUSION. »*
> — Sogyal Rinpoché.

Je soumets au lecteur quelques extraits du livre :
« *Suicide, religion et spiritualité* » – disponible aux
Éditions SOIS ou aux Éditions Recto-Verseau, Romont,
Suisse.

Ce congrès, auquel j'ai participé, a permis de mettre en
lumière le suicide, vu et compris par les représentants des
grandes religions et des grands courants de pensée.

• BERTRAND VERGELY :
le suicide vu par les stoïciens et les nihilistes

L'idée que le suicide est une sagesse vient de loin. Cela
nous vient des Stoïciens qui pensaient que, se suicider,
c'était manifester un détachement suprême à l'égard de la
vie, ce qui n'est pas complètement faux dans un sens. N'y

173

a-t-il pas en nous un homme passionné, trop attaché à l'existence? Est-ce que se suicider n'est pas se détacher, et, à l'égard de cet homme trop attaché, manifester une sorte de sérénité, maîtrise suprême de l'existence? C'est encore dit aujourd'hui parce qu'au fond, c'est vulgaire de trop vouloir vivre.

Le suicide comme liberté a été pensé par les romantiques et par les nihilistes, russes en particulier. L'idée est simple: l'homme a un droit souverain sur sa vie et sur sa mort. À travers le suicide, il exprime sa liberté absolue. Les nihilistes russes allaient beaucoup plus loin, pensant que le suicide est la création d'une humanité nouvelle. Dans « Les Possédés » de Dostoïesvsky, le héros Chatov se suicide pour libérer les hommes de la peur, pour créer une humanité nouvelle et montrer que Dieu n'existe pas. L'homme peut tout s'approprier.

• **LAMA KHEMPO THOUPTEN:**
Le suicide vu par le bouddhisme tibétain

En général, quelle que soit la tradition envisagée, on est d'accord pour dire que l'acte suicidaire, c'est quelque chose de néfaste, une chose qui entrave le développement spirituel. En ce qui concerne la philosophie bouddhiste, c'est la même chose. Et aujourd'hui, nous allons donner l'éclairage donné par le Bouddha lui-même.

Ce corps humain représente le support de notre pratique tourné vers le bien d'autrui est aussi la source de bonté qui nous permettra d'obtenir notre but ultime, qui est le bonheur.

C'est pourquoi on compare ce corps humain à un précieux joyau, il est précieux parce qu'il est rare, difficile à obtenir et facilement détruit. Pourtant, c'est grâce à lui que nous allons parcourir ce chemin, cette méthode vers l'état de Bouddha. C'est un précieux minerai, surpassant tous les autres en valeur.

Si on meurt, est-il sûr que l'on retrouvera les mêmes conditions ?...

Ainsi, le fait de se donner la mort est vraiment quelque chose de très négatif. Une fois considérée cette chance d'avoir obtenu un corps, se donner la mort est vraiment très néfaste...

Ainsi, basé sur la bonté de nos parents, qui nous ont éduqués et donné ce précieux auxiliaire, on a obtenu une chance incomparable de parfaire l'état de bonheur de Bouddha. Dans la vie, on rencontre certaines difficultés comme certaines souffrances, et on pense que si on se supprime, on obtiendra une existence meilleure, des conditions plus favorables. C'est une erreur fondamentale. Si on se supprime, il nous sera très difficile d'obtenir à nouveau toutes les conditions qui nous permettent d'obtenir une existence telle que celle-ci.

C'est pourquoi le Bouddha a dit que si on commet un suicide, il n'y a pas d'erreur plus grosse et que c'est vraiment quelque chose de très négatif.

Mais pour quelqu'un qui a commis un suicide, cela sera lié à un état émotionnel tellement important et tellement grave que la personne projettera des visions terrifiantes. Elle est complètement angoissée, encore plus désespérée qu'au moment du suicide. Les souffrances se multiplient et la personne n'a pas la possibilité de retrouver un corps.

• PASTEUR DANIEL LESTRINGANT :
Le suicide vu par le Protestantisme

Je voudrais dire qu'à ma connaissance, les théologiens de la Réforme n'ont pas affirmé de position doctrinale sur la tentative de suicide. Et aujourd'hui, concernant la discipline ecclésiastique ou plutôt la discipline pastorale, aucune recommandation n'est faite en matière de cure d'âme, de thérapie spirituelle. Rien n'est recommandé pour les suicidants ou les suicidaires, ni pour les familles endeuillées par le suicide d'un proche. Théologiens de la Réforme, nous nous situons plus globalement dans la situation de la souffrance du corps et de l'esprit, dans la situation de l'épreuve, de l'absence d'avenir, de l'échec et du doute de soi, des conflits intérieurs, des culpabilités. D'une certaine façon, il s'agit toujours d'une certaine recherche de la vie, sans cesse remise en question.

• ELIE GUEZ :
Suicide au regard du Judaïsme et de la Kabbale

Nous savons aussi, selon l'enseignement de la tradition hébraïque sur les pérégrinations de l'âme, que si nous n'avons pas réglé nos problèmes de notre vivant, nous aurons à revenir dans une autre incarnation.

D'après le Talmud, le suicide pose un réel problème au rituel du deuil. En effet, celui qui se suicide est considéré comme un meurtrier puisqu'il vient de tuer une personne, même si c'est sa propre personne. Je fais partie d'un projet global et, en tuant ma personne, j'enlève un élément du projet. Je ne suis pas seulement responsable de ma propre réalisation mais, en me tuant, j'enlève une partie d'être au projet d'humanité collectif.

Ainsi, je dois aller jusqu'au bout de l'expérience que j'ai à vivre sur terre et quoi qu'il en soit, j'aurai à terminer ce que je n'ai pas terminé. Et le suicidé, comme les criminels, sera condamné à mort par le tribunal...

Qu'est ce qu'un vivant mort ? C'est un vivant qui a stoppé son processus d'évolution. Le suicidé n'est ni mort ni vivant... Ni mort, parce que son heure n'est pas arrivée et qu'il devra attendre son heure pour vivre le processus que nous avons décrit. Ni vivant car, comme une âme désincarnée, il ne peut plus rien faire pour arranger sa situation. Quelque part, il se coupe de l'influence de sa partie supérieure.

Dans un autre registre, c'est comme si le Moi continuait à vivre hors de son corps et sans le soutien de la partie supérieure du SOI, comme s'il était coupé de son essence. On pourrait donc ainsi lire la condamnation à mort du tribunal comme un moyen pour sortir de cette situation infernale pour le suicidé ! Se réincarner pour résoudre la problématique que l'être a à vivre.

Auditeur : Y a-t-il des suicides justes ou nécessaires, comme le suicide collectif de Massada ?

Elie Guez : En effet, il y a des cas où la Bible considère que la mort est préférable à l'épreuve, comme l'obligation de tuer une personne, l'obligation de ne pas se laisser souiller sexuellement, la profanation du Nom, c'est-à-dire l'idolâtrie. Dans ces trois cas, la mort est préférable. La communauté de Massada, devant le danger de voir les femmes subir des violences sexuelles et l'obligation de rejeter leur religion, a jugé plus juste le choix du suicide collectif. Il y a des situations extrêmes où la seule solution est le suicide.

• BARBARA SCHASSEUR :
Témoignage personnel

J'ai fait une tentative de suicide et j'ai eu de la chance car j'ai pu rapporter quelque chose de mon coma. Je me suis retrouvée au plafond et j'ai vu mon corps là en bas. Ce « je », là au plafond avait la conscience de l'inutilité, même du ridicule de cet acte, ça n'aurait jamais dû en arriver là. Quand je suis revenue de cet endroit au plafond et que j'ai réintégré mon corps, le premier choc a été de comprendre qu'il y avait deux pôles, d'un côté ce que j'avais perçu comme mon corps mais qui était beaucoup plus, c'était vraiment moi, tout ce que j'avais réellement, mais aussi le lieu des passions m'ayant conduite à cet acte ; et de l'autre un moi-même difficilement appréhendable consciemment mais qui savait ce qui aurait dû être, ce qui était juste, détenant une sagesse sur ma vie et l'intention de ma vie. Je n'avais aucune réflexion spirituelle à l'époque et j'ai donc commencé mes recherches.

Trois autres prises de conscience sont aussi restées avec moi de ce moment de coma. Elles ont été très importantes, comme des messages ou des petites graines qui devaient encore éclore à la manifestation. L'une était que la Vie est sacrée. À l'époque pour moi, c'était du chinois. Je n'avais aucune relation apparemment à la notion de sacré et parmi les objectifs pour lesquels je me battais il ne me paraissait pas utile d'y associer une discipline qui ferait de la Vie quelque chose de sacré. La deuxième prise de conscience me montrait que si j'étais morte à ce moment-là « ce » serait encore pire. J'ai eu peur quand même. Mon expérience de vie jusque-là me semblait particulièrement douloureuse et je cherchais justement à me dégager de cette

178

souffrance. Je ne croyais pas à la réincarnation ni au fond à la vie après la mort, mais faire face à cette responsabilité m'est donc apparue comme essentielle à partir de ce moment-là. La troisième prise de conscience était comme un constat car il semblait que je n'avais encore rien fait de ce que j'étais venue faire. Je ne savais pas que j'étais venue faire quelque chose mais il m'était assez agréable d'imaginer que ma venue sur terre avait un sens. Bien sûr je suis tout de suite partie dans le grandiose avec le sentiment d'avoir une mission... Petit à petit seulement j'ai pu comprendre que j'étais venue pour vivre, faire cette expérience-là, grâce à ce corps-là, au travers de ce corps-là.

• EXTRAITS DE « ÉTUDES ET RÉSULTATS » :
N° 185 – août 2002
Direction de la Recherche des Études de l'Évaluation
et des Statistiques (DREES)

L'EVOLUTION DES SUICIDES SUR LONGUE PERIODE : LE RÔLE DES EFFETS D'ÂGE, DE DATE ET DE GENERATION

Après une période de relative stabilité, les vingt-cinq dernières années ont été marquées en France par des fluctuations importantes de la mortalité par suicide. En trente ans, de 1968 à 1998, les décès par suicide, tous âges confondus, sont passés de 1,79 à 2,13 pour 10 000 habitants, soit un peu plus de 10 000 décès comptabilisés en 1998.

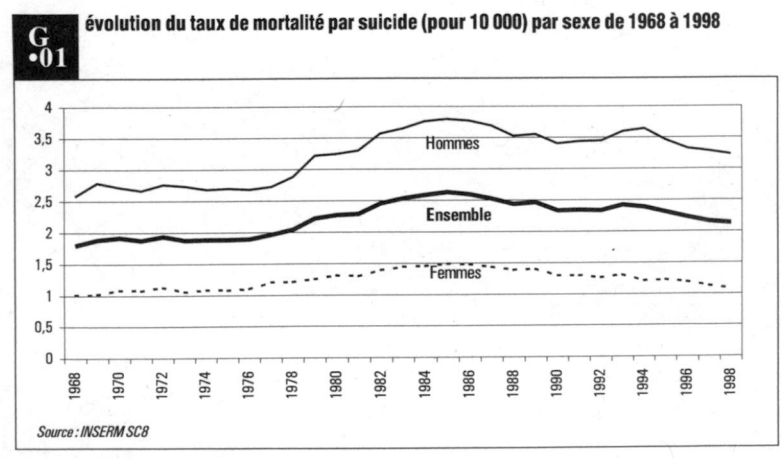

G •01 évolution du taux de mortalité par suicide (pour 10 000) par sexe de 1968 à 1998

Source : INSERM SC8

SEPARER LES EFFETS D'ÂGE, DE DATE ET DE GENERATION

La mortalité par suicide peut en effet, comme d'autres comportements individuels, et pour peu qu'elle soit observée sur une durée suffisante, être statistiquement analysée comme le résultat de trois composantes.

La première, l'effet d'âge, renvoie à l'analyse durkheimienne classique. Elle décrit l'évolution du comportement de suicide au fil du vieillissement des individus.

La seconde est un effet de date ou de période, que l'on peut interpréter comme l'effet de la conjoncture économique ou sociale de l'époque sur la propension au suicide de tous les individus vivant à la date observée, quel que soit leur âge ou leur génération.

G •02 évolution du taux de suicide masculin (pour 10 000) par tranches d'âge de 1968 à 1998

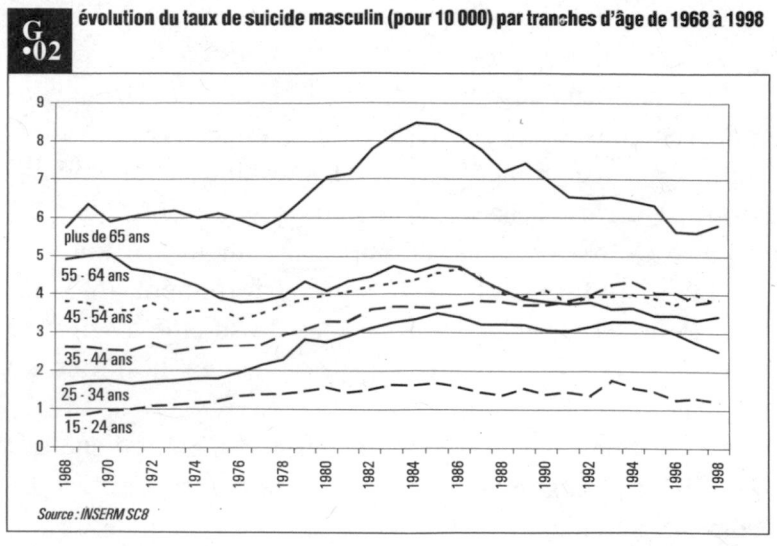

Source : INSERM SC8

181

La troisième est l'effet de génération, qui rend compte de différences durables de comportements entre les différentes cohortes de naissance, dont les individus qui les composent ont vécu aux mêmes âges les mêmes événements temporels (guerre, crise économique), ou ont incorporé des systèmes de valeurs caractéristiques, acquis pendant leur jeunesse, et qui perdurent tout au long de leur vie. Ces trois composantes ne sont, bien entendu, pas indépendantes.

LES COMPORTEMENTS SUICIDAIRES S'ACCROISSENT GLOBALEMENT AVEC L'ÂGE

Dans les modèles estimés sur la mortalité masculine comme sur la mortalité féminine, c'est, comme l'a retracé Durkheim, l'effet de l'âge qui reste le plus important pour expliquer les variations du taux de suicide. Ainsi, toutes choses égales par ailleurs, la probabilité de se suicider à 20 ans est environ cinq fois moins élevée qu'à 75 ans, pour les hommes comme pour les femmes.

Dans les deux cas, la « propension à se suicider » apparaît bien globalement croissante avec l'âge, avec quelques petites nuances toutefois. Pour les hommes, l'augmentation est forte de 15 à 19 ans, puis se ralentit jusqu'à 50 ans. De 50 à 65 ans, la hausse du suicide en fonction de l'âge s'interrompt, mais reprend fortement après 65 ans. Pour les femmes, la croissance du suicide avec l'âge est toujours moins marquée que chez les hommes, et devient très faible après 55 ans.

La position des femmes comme principal point d'ancrage familial, est habituellement considérée comme protectrice contre le suicide.

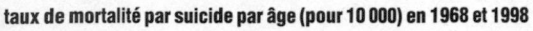

G·04 taux de mortalité par suicide par âge (pour 10 000) en 1968 et 1998

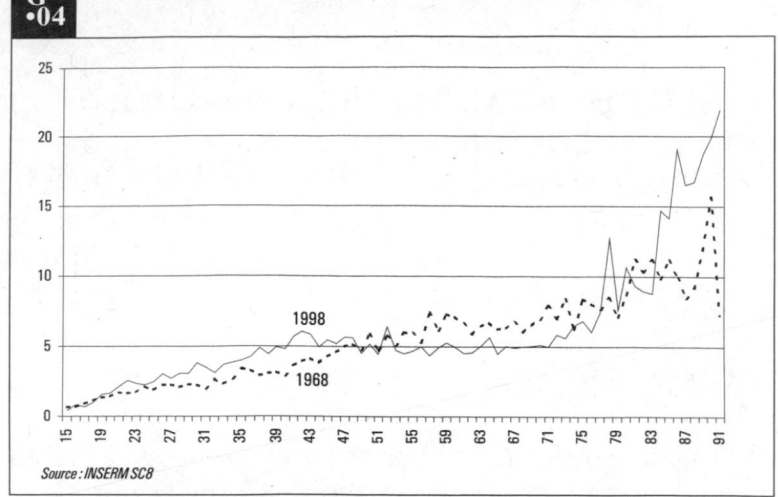

1998

1968

Source : INSERM SC8

G·07 effet de l'« âge » sur la mortalité par suicide

Hommes

Femmes

Source : INSERM SC8

183

• SUICIDE : UN ARTICLE DE WIKIPEDIA, L'ENCYCLOPÉDIE LIBRE

Ce texte est licencié sous GFDL et est tiré de l'article : dossier suicide.

LE SUICIDE PAYS PAR PAYS

Généralités

Dans le monde, 815 000 personnes se sont suicidées en 2000, soit 14,5 décès pour 100 000 habitants (un décès toutes les 40 secondes) – Source OMS.

Le suicide touche davantage les hommes que les femmes. En fait, le nombre de tentatives réussies est plus important chez les hommes que chez les femmes, sans doute parce que les hommes choisissent plus souvent des moyens violents (pendaison ou arme à feu contre intoxication médicamenteuse). De plus, ils sont très isolés et il est donc souvent difficile d'observer leur trouble. Contrairement aux femmes, ils n'ont pas l'intention de changer leur milieu, mais ils désirent seulement mettre fin à leur souffrance. Par rapport à l'âge, si les jeunes sont particulièrement concernés par ce problème, le nombre de suicides est plus important encore plus tard et la courbe des suicides chez les hommes a la forme d'un « N » avec un pic vers 50-60 ans.

Le suicide touche tout le monde, sans distinction de « classe ». Il semblerait que les cultures influencent le taux de suicide. De hauts niveaux de cohésion sociale et nationale réduisent les taux de suicide. Les niveaux de suicide sont plus élevés chez les personnes à la retraite, au chômage, divorcées, sans enfants, citadines, vivant seules. Les taux augmentent dans les périodes d'incertitude économique (bien que la pauvreté ne soit pas une cause directe). La plupart des suicidés souffrent de désordres psychologiques. La dépression est une cause fréquente. Des maladies physiques graves ou des infirmités peuvent aussi être la cause de suicides.

Du point de vue de l'individu, le suicide est rarement perçu comme une fin en soi, c'est plutôt considéré comme l'unique voie possible pour échapper à une situation devenue insupportable. D'autres motifs existent : rejoindre un proche décédé, faire souffrir en causant du remords... De nombreuses raisons sont possibles.

Enfin, le taux de suicide est aussi influencé avec le tapage médiatique fait autour du suicide de célébrités et même le suicide fictionnel d'un personnage dans un drame populaire peut conduire à une hausse temporaire du taux de suicides.

• Chine

La Chine est un des seuls pays au monde où les femmes se suicident plus que les hommes. Ce phénomène se retrouve en Inde et dans le Pacifique. Cette forme de suicide appelée suicide vindicatif est une forme de suicide par vengeance. Ces femmes ont été achetées par leurs maris, vivent dans leur belle-famille où elles sont souvent traitées comme des esclaves. Et la seule issue qu'elles trouvent pour sauver leur honneur et se venger est de faire porter la responsabilité de leur mort sur leur bourreau.

185

• Japon

Le Japon a l'un des plus forts taux de suicide du monde industrialisé (24,1 pour 100 000 habitants). Les suicides ont atteint le nombre record de 34 427 en 2003 (+ 7,1 % par rapport à 2002) (source : AFP 22/11/2004). Le taux de suicide pour 100 000 habitants était de 26,1 en 1998, légèrement derrière celui des trois pays baltes et de la Russie, Hongrie et Slovénie où le taux avoisine 30 personnes pour 100 000 (sources diverses). L'individu au Japon se définissant par rapport à la relation à l'autre. Lorsque le sentiment d'obligation ou le sentiment de dette ne peut être acquitté alors s'installe le sentiment de l'indignité et de la honte. La seule issue honorable est alors le suicide. C'est un suicide par autopunition pour la dette que l'on doit à la société. Le taux de suicide des jeunes au Japon n'a cessé de baisser ces dernières années.

• Suisse

Chaque année en Suisse, on compte 1 300 à 1 400 suicides. C'est la cause de décès la plus importante chez les hommes de 15 à 44 ans. Environ 1 000 hommes et 400 femmes se suicident chaque année en Suisse, ce qui représente quatre décès par jour, soit un taux de suicide de 19,1 pour 100 000 habitants.

• France

En 1996, la France compte 12 000 suicides pour 160 000 tentatives (chiffres de l'INSERM) ; avec 62 millions d'habitants en France, ces nombres représentent à peu près 19 suicides pour 100 000 habitants, soit un suicide pour 5 000 personnes, et une tentative pour 400 personnes. La France est au quatrième rang des pays développés. Les chiffres sont à peu près stables depuis 1980. Le suicide est une cause de décès plus importante que les accidents de la route. Il touche particulièrement les jeunes, chez qui le suicide est la deuxième cause de décès. La France est aussi le pays où le taux de chômage des jeunes est le plus fort.

Toujours selon l'INSERM, 650 décès environ ont lieu chaque année chez les 15-24 ans en France. Parmi ces jeunes, deux tiers sont des garçons. Le taux de suicide a chuté depuis 1985, mais les tentatives de suicide des 15-19 ans ont augmenté (4,3 % en 1999).

• Québec

En 2001, 1 334 Québécois se sont donné la mort, dont 1 055 hommes. Le taux de suicide chez les jeunes hommes est parmi les plus élevés du monde, à 30,7 pour 100 000 habitants. Les hommes se suicident huit fois plus que les femmes. Quelques rares pays dépassent le Québec à ce niveau : la Russie, la Lituanie et le Kazakhstan. La situation s'est beaucoup aggravée depuis 1965, époque de la Révolution tranquille. Les prisonniers québécois suicidés comptent pour 60 % des suicides en milieu carcéral au Canada, alors qu'ils ne devraient en représenter démographiquement que 23 %. Les jeunes Autochtones forment l'échantillon le plus gravement touché : leur taux atteint de 3,3 à 3,9 fois la moyenne nationale. Cela représente 211 Inuits du Nunavik suicidés pour 100 000 habitants.

Certains sociologues ont théorisé les facteurs urbains, la perte du cléricalisme social, la pauvreté et les dépendances psychologiques et physiques comme la drogue, l'alcool et le jeu pour expliquer toutes ces pertes de vie. Les médias ont souvent montré des reportages de jeunes

Indiens inhalant du gaz, se piquant à l'héroïne ou encore abusant d'appareils de loterie vidéo de Loto-Québec.

LE SUICIDE VU PAR LES RELIGIONS

• Hindouisme et Jaïnisme

Chez les Hindous et les Jaïns, se suicider est considéré comme un péché aussi grave que tuer autrui. Cependant, dans certaines circonstances, il est considéré comme acceptable d'en finir avec la vie en jeûnant. Cette pratique, appelée *prayopavesha*, nécessite tant de temps et de volonté qu'il n'y a aucun risque que cela soit fait impulsivement. Cela laisse aussi le temps à l'individu de régler ses affaires, de réfléchir à la vie et de se rapprocher de Dieu.

Un cas historique et célèbre est celui de Chandragupta Maurya qui renonça au trône, se rendit dans le Karnataka, se fit moine jaïna à Shravana-Belgola et mit fin à ses jours en commettant le suicide rituel par inanition.

• Christianisme

Le christianisme est traditionnellement opposé au suicide ainsi qu'au suicide assisté. Ceci permet de comprendre en partie le débat actuel sur l'euthanasie.

Dans le catholicisme en particulier, le suicide a été considéré comme un péché grave. L'argument principal est que la vie de tout homme est la propriété de Dieu et que la détruire est donc interprétable comme un signe d'affirmation de domination sur ce qui appartient à Dieu. Cet argument a donné suite au fameux contre-argument de David Hume. Il faisait remarquer que s'il était mal de prendre la vie quand une personne devrait naturellement vivre, cela devrait être aussi mal de sauver la vie quand une personne devrait naturellement mourir, comme il semblerait que cela contrevienne à la volonté de Dieu. En outre, le suicidé contrevient aux trois vertus théologales : la foi (en Dieu), l'espérance et la charité (ici : envers soi-même). Cette idée a été illustrée par le suicide de Judas après sa trahison de Jésus.

Traditionnellement, les suicidés n'étaient pas inhumés en terre consacrée, mais à l'extérieur du cimetière, sans cérémonie religieuse. Leurs âmes perdues n'accédaient pas au paradis.

Les chrétiens « libéraux » reconnaissent que les personnes qui se suicident sont dans un état de détresse et de déprime et pensent donc que Dieu, dans sa grande générosité et son amour, pardonne un tel acte.

• Islam

Comme les autres religions abrahamiques, l'Islam voit le suicide comme un péché et un obstacle à l'évolution spirituelle. Cependant, les êtres humains ne sont pas infaillibles et peuvent commettre des erreurs. Allah leur pardonne les péchés s'ils sont sincères dans leur repentir.

Pour ceux qui renoncent à croire en Dieu, les conséquences sont mauvaises. En effet, dans le Coran, le livre saint des musulmans, si Allah est infiniment grand et miséricordieux, pardonnant tous les péchés, il en est cependant un qui est impardonnable : l'incroyance. Selon la Sunnah (livre sur la vie du prophète Mahomet), celui qui se suicide et n'en montre aucun regret passera une éternité en enfer, effectuant sans cesse l'acte par lequel il s'ôta la vie.

En dépit de ce fait, il existe une croyance selon laquelle les actions commises dans le cadre du Jihad menant à sa propre mort ne sont pas considérées comme un suicide même si l'acte en soi ne peut qu'entraîner sa propre mort (comme dans les attaques suicides). Ces actes sont considérés au contraire comme une forme de martyre et ceci bien que dans le Coran il soit expressément écrit que ceux qui tuent des innocents sont des pécheurs et transgressent la loi de Dieu. Néanmoins, beaucoup affirment que l'Islam permet d'utiliser le suicide pour lutter contre l'injustice et les oppresseurs s'il n'existe absolument pas d'autre option possible et que sinon la vie se terminerait de toute façon par la mort.

Voici également d'autres articles nous donnant un aperçu du suicide vu par les différentes religions ainsi que par des dirigeants de quelques grands mouvements spirituels.

• SUICIDE & CATHOLICISME

« L'Homme n'est pas propriétaire de sa vie. Elle est un don de Dieu et l'Homme n'a donc pas le droit d'en disposer.

Jusqu'au Concile Vatican II, le suicide était perçu comme un péché si grave que l'Église n'autorisait pas les funérailles religieuses. Depuis, la pastorale a évolué vers une certaine souplesse. L'enterrement religieux est possible bien qu'il ne constitue pas une approbation. L'Église demande à Dieu d'accueillir celui qui a cédé à une faiblesse. On prie pour le défunt et la famille.

En raison des connaissances actuelles dans les domaines de la psychologie, de la psychiatrie et de la sociologie, on s'aperçoit qu'une souffrance humaine peut être intolérable au point de commettre un meurtre vis-à-vis de soi-même. L'Église a un regard de pitié, de sympathie, notamment sur les jeunes, pour qui la tentative de suicide est un signe d'appel au secours.

L'Église estime que l'on doit agir sur la prévention pour accompagner les personnes en difficulté et limiter ainsi le passage à l'acte. L'action des associations va dans ce sens. »

— Père de la Brosse
Porte-parole de la Conférence des Évêques de France.

• SUICIDE & ISLAM

« Pour l'Islam, la vie n'appartient qu'à Dieu. C'est Dieu qui la donne ; c'est lui qui la reprend. La mort d'un individu est liée à une notion fondamentale de l'Islam : le décret divin ou "ajal" (décision). Lorsque cet "ajal" survient, nul ne peut l'avancer ne serait-ce que d'une seconde, ni ne peut le reculer.

L'âme reçoit la vie et un corps qui lui est confié. La vie et ce corps sont donc des dépôts sacrés confiés à la vigilance de l'Homme. Il doit apporter tous les soins nécessaires à la préservation de la vie et à la dignité de son corps.

Le suicide est le contraire de la confiance en ce Dieu auquel on doit se soumettre. Le suicide représente donc une transgression majeure gravissime.

Le suicidé n'a pas droit au rituel religieux et sera enterré comme celui qui a encouru le courroux divin.

Dans le cas des malades mentaux, l'Islam considère que la responsabilité est alors du ressort de la Communauté. Le malade n'a pas fauté : il est irresponsable de ses actes. »

— Dr Dalil Boubakeur
Recteur de l'Institut musulman de la Mosquée de Paris.

POINT DE VUE
Islam et islamismes, par Pénélope Larzillière
Le Monde – 10/08/05 – 13 h 34
Mis à jour le 27/01/06 – 18 h 53

L'Islam interdit le suicide. Pour cette raison et pour justifier leurs actions, les mouvements islamistes qualifient donc d'« opérations martyres » les attentats-suicides. Un mode d'action largement controversé parmi les religieux musulmans, et qui a fait l'objet de plusieurs « fatwas » soit pour en dénoncer le principe, soit pour critiquer son emploi contre des civils. Remarquons également que ces actions se réfèrent à une martyrologie qui est loin d'être exclusivement chiite…

L'attentat-suicide représente un instrument stratégique pour les organisations islamiques, à la fois arme et facteur de légitimation à travers la référence au « martyre ». Pourtant, même la partie des Palestiniens qui les soutient n'est guère convaincue de l'intérêt stratégique de l'emploi de telles méthodes en vue de renverser le rapport de forces. Le manque de perspective est tel que la projection d'un avenir sur le moyen terme a quasi disparu. La pétition contre les attentats-suicides d'intellectuels et hommes politiques palestiniens, en juin 2002, insistait sur cette absence. Elle soulignait que si l'essentiel des victimes, côté palestinien, étaient civiles (argument souvent utilisé par les islamistes pour justifier les attentats-suicides), le fait même de commettre de tels actes poussait à une guerre existentielle mais ne transformait en rien la situation des Palestiniens.

• SRI AUROBINDO ET MERE

La Mère : La mort n'est pas une solution, loin de là. La mort est un mécanisme lourd et sans fin de la ronde des existences et ce que vous n'avez pas achevé dans une vie, vous devez le faire dans une existence suivante, et généralement dans des circonstances beaucoup plus difficiles.

Soyez certain que le suicide est l'action la plus stupide que puisse faire un homme ; car la fin du corps ne signifie pas la fin de la conscience et ce qui le troublait lorsqu'il était en vie continue de le faire après la mort, sans plus avoir la possibilité d'en détourner son esprit comme lorsqu'il est en vie.

Sri Aurobindo : Le ciel et l'enfer sont souvent des états imaginaires de l'âme ou plutôt de l'être vital (astral) qui les construit après son passage (à la mort).

Ce que l'on appelle enfer est un passage difficile ou persistant au travers du monde vital, comme par exemple dans de nombreux cas de suicides, où l'être reste entouré par les forces de souffrance et d'agitation générées par cette sortie non naturelle et violente.

Il y a aussi, bien sûr, des mondes vitaux ou mentaux pleins de joie ou d'obscurité et l'on peut les traverser en fonction du résultat de la nature propre à chacun qui crée les affinités nécessaires, mais l'idée de récompense ou punition est une conception populaire frustre et vulgaire.

Sri Aurobindo : Généralement ces idées de suicide viennent du monde hostile.

Question : Pourquoi est ce que les forces hostiles donnent ces suggestions de suicide ?

Sri Aurobindo : Parce qu'elles trouvent leurs satisfactions dans la possession de l'être. Elles peuvent ensuite laisser le corps dans une sorte de démence mécanique ou peuvent même le détruire.

• OMRAAM MIKHAEL AÏVANOV DE LA FBU

Le suicide est une faute très grave envers la vie que DIEU nous a donnée.

Je ne parle pas de circonstances tout à fait exceptionnelles qui amènent certaines personnes à mettre fin à leurs jours afin de sauver d'autres êtres humains.

Je parle de tous ces cas ou, en se suicidant, des hommes et des femmes révèlent qu'ils n'ont pas su utiliser les possibilités que le créateur a mises dans leur intelligence, dans leur cœur, et dans leur volonté.

Celui qui a une bonne compréhension des choses sait qu'il existe un monde supérieur peuplé d'une multitude de créatures, sages et pleines d'amour, et que notre tâche est d'étudier ce monde qui a imprimé sa marque au monde physique…

Il sait que les sentiments et les désirs sont d'une puissance telle qu'avec de la patience, de la ténacité, il pourra arriver à réaliser ses souhaits les meilleurs

Enfin, il sait qu'il peut considérer toutes les difficultés comme un moyen d'exercer, de prouver sa volonté.

Eh bien, jamais cet être-là ne décidera de mettre volontairement un terme à sa vie.

Même la misère, même les privations, même les maladies et la solitude n'arriveront pas à le vaincre.

C'est lui qui triomphera.

ANNE GIVAUDAN

• LECTURE D'AURAS ET SOINS ESSÉNIENS
Therapies d'hier et d'aujourd'hui

Cet ouvrage vous permettra de comprendre que la maladie ne naît pas *par hasard*, qu'il est possible d'en comprendre le processus et par là même, de stopper son avance, de l'enrayer et de le transformer en nous transformant. La vie nous apportera toujours les expériences et les moyens de grandir. La maladie fait partie de ces moyens. Que vous sachiez lire les auras ou non, que vous soyez ou non thérapeutes, ce livre vous aidera ou vous permettra d'aider et de comprendre ce corps qui parle à travers les maux qui l'habitent. Des exercices et des soins précis vous aideront à retrouver votre autonomie et à savoir que le hasard n'est que l'invention de quelques-uns qui aiment asseoir leur puissance sur la dépendance de chacun.

• LES DOSSIERS SUR LE GOUVERNEMENT MONDIAL
Celui qui vient – Tome 2

Le « Gouvernement Mondial », pourquoi écrire encore sur ce sujet ? Est-ce par désir de combattre une énergie que nous redoutons ? Est-ce parce que le sujet est à la mode et fait frissonner les habitants de la planète Terre comme un mauvais film d'épouvante ? Est-ce par désir de vengeance ? Rien de tout cela ne m'habite à l'heure où je couche ces mots sur le papier. Je ne sais de quoi sera fait demain car je ne sais jusqu'où ira ma détermination mais je n'ai pas peur de perdre, d'autres gagneront après moi, encore et encore… Je refuse l'ignorance ! L'ignorance est une maladie de l'âme, insidieuse et perverse, elle coule en nous les prémices de nos lavages de cerveau, de nos faiblesses, de nos lâchetés involontaires. Par quelques exemples précis dans les domaines suivants : la Mafia, la santé, la recherche, l'Opus Deï, les extraterrestres et les camps de concentration, je souhaite que les lecteurs de ce livre-dossier puissent prendre conscience de la manipulation dont nous sommes tous l'objet. Le véritable travail est toujours intérieur. Lorsque nous serons de plus en plus conscients, nous chercherons à retrouver notre souveraineté.

• ALLIANCE

Il existe des êtres qui vivent intensément hors de notre espace et de notre temps connu. Leur monde n'est pas ennuyeux et pourrait bien être un exemple pour nous. Il n'est pas question ici de leçons à recevoir ni d'enseignement. Il s'agit simplement à travers une lecture agréable, étonnante et inhabituelle, de s'apercevoir qu'il y a d'autres façons de concevoir la Vie et l'Amour et que celles-ci nous ouvrent des perspectives auxquelles nous n'avions pas toujours pensé.

Qu'auriez-vous à perdre à supposer que vous n'êtes pas seul dans la galaxie et que d'autres ont trouvé un chemin qui pourrait aussi être le nôtre... si seulement nous le voulions et le pensions ainsi !

• WALK-IN
La femme qui changea de corps

Anne Givaudan décrit le phénomène bien particulier qu'est celui de la transmigration. Qu'est-ce qu'un « Walk-in » ? ou un transmigré ? Un Walk-in est un être qui marche à l'intérieur, mais à l'intérieur de quoi ? À l'intérieur d'un autre corps, d'un corps qui ne lui appartient pas après un pacte d'alliance passé entre deux âmes.

Il existe sur Terre des êtres qui ne sont pas d'ici et qui ont emprunté un corps afin de contribuer à un plan lumineux qui dépasse largement le cadre de notre seule planète. L'auteur dévoile les étapes les plus essentielles et les plus étonnantes du phénomène de la transmigration.

• FORMES-PENSÉES – Tome I et II
Decouvrir et comprendre leurs influences
sur notre sante et sur notre vie.

Courir derrière le bonheur, en ayant la désagréable sensation de ne jamais le rattraper, fait partie du mal-être que nombreux parmi nous éprouvent aujourd'hui. L'action des Formes-Pensées, que nous transportons continuellement avec nous, accentue et contribue fortement à cet état d'être et à tout ce qui arrive dans notre vie.

Méconnues de la plupart d'entre nous, elles ont un pouvoir sur notre santé et une action sur nos bonheurs, ainsi que sur nos malheurs. Elles peuvent nous étouffer ou nous dynamiser, mais en prendre conscience et le comprendre est le chemin indispensable à notre libération. Comprendre et reconnaître nos Formes-Pensées pour commencer la « transmutation », voilà ce que vous proposent les deux tomes de ces ouvrages.

CD DE MÉDITATIONS GUIDÉES

• FORMES-PENSÉES

(Voix de A. Givaudan et musique de D. Patriquin)

Ce CD de sept méditations ouvre les portes de l'auto-guérison des Formes-Pensées qui nous encombrent.

• VOYAGES VERS SOI

(voix de A. Givaudan et musique de L. Danis)

Une célébration joyeuse d'un retour à SOI, des retrouvailles où les masques de nos personnalités transitoires peuvent disparaître et laisser place à ce que nous sommes vraiment : des êtres uniques au parcours unique.

CD « LES NEUF MARCHES »

Les meilleurs extraits du livre « Les neuf Marches ».

STAGES AURA SOIS

Animés par Anne Givaudan et Antoine Achram

• Approche des soins Esséniens.

• Voyage à la rencontre de Soi.

• Naître à la vie et vers un nouveau départ.

• Les Formes-Pensées :
les comprendre et les transformer.

Pour tout renseignement pratique et le contenu détaillé
des stages, envoyer une enveloppe timbrée à :

AURA SOIS FORMATIONS
24580 PLAZAC
Tél. : 05 53 51 19 50 - Fax : 05 53 51 19 39
aura@sois.fr - www.sois.fr

MEMBRE DU GROUPE SCABRINI

Québec, Canada
2006